Alors?

MARCELLA DI GIURA
JEAN-CLAUDE BEACCO

Méthode de français fondée sur l'approche par compétences

NIVEAU **A2** du CECR

didier

Crédits photographiques

© Les Éditions Didier, Paris 2007
ISBN 978-2-278-06120-4
Imprimé en Italie
Achevé d'imprimer en décembre 2010 par Rotolito Lombarda - Dépôt légal : 6120/07

Avant-propos

Apprendre le français ? Vous avez commencé, continuez !

Alors ? niveau A2 est une méthode de français pour utilisateurs « élémentaires » : elle vise à vous faire acquérir l'essentiel des compétences définies comme de niveau A2 par le Cadre européen commun de référence pour les langues. Vous connaissez *je ne sais pas*, *super* et *qu'est-ce que c'est ?*. Vous allez apprendre d'autres expressions et aussi à imaginer des phrases.

Alors ? niveau A2 va vous donner de nouveaux moyens d'exprimer des sentiments ou une opinion... Il va vous guider, pour mieux apprendre à parler avec les gens, dans la vie de tous les jours, échanger des idées... Vous allez lire et écrire des textes plus élaborés, écouter des chansons ou des poèmes.

Vous allez y retrouver des manières d'apprendre que vous utilisez déjà pour d'autres langues. Il faut du temps pour apprendre, car on apprend une langue et les langues toute sa vie. Il faut juste aimer apprendre et apprendre à apprendre tout seul.

Vous allez mieux connaître la société française, mais pas seulement les lieux touristiques ou les personnages célèbres. Vous allez voir vivre les Français de plus près. Avec les problèmes de logement, de santé, d'emploi. Avec leur diversité. Avec un certain art de vivre. Et vous avez maintenant les moyens de dire ce que vous pensez de ce pays.

Il y a les notes et les examens. ***Alors ?*** s'en occupe aussi et met à votre disposition tous les moyens pour réussir. Et si vous voulez « sortir » de ce manuel, il y a aussi des projets sur tâches qui vous feront apprendre en réalisant une activité avec votre classe.

Vous êtes en chemin. Alors, continuons le voyage !

M. Di Giura et et J.-C. Beacco

MODE D'EMPLOI

STRUCTURE DU MANUEL

5 modules

2 unités par module

à la fin de chaque module
- un projet
- un ensemble évaluation
- des conseils pour l'autonomie

à la fin du manuel
- Langues de France ;
- les transcriptions ;
- les corrigés des évaluations ;
- un précis de conjugaison ;
- un précis de grammaire ;
- un lexique plurilingue.

▶ DES ENTRÉES THÉMATIQUES

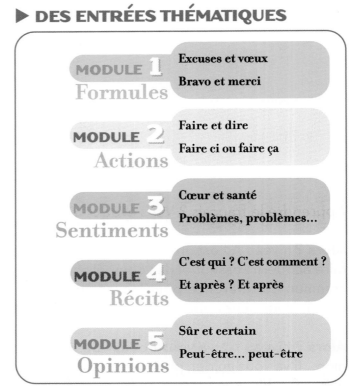

MODULE 1 Formules
Excuses et vœux
Bravo et merci

MODULE 2 Actions
Faire et dire
Faire ci ou faire ça

MODULE 3 Sentiments
Cœur et santé
Problèmes, problèmes…

MODULE 4 Récits
C'est qui ? C'est comment ?
Et après ? Et après

MODULE 5 Opinions
Sûr et certain
Peut-être… peut-être

▶ LISIBILITÉ DES OBJECTIFS

compétences travaillées

perspective actionnelle

MODULE 1 Formules

Contrat d'apprentissage

	UNITÉ **1** Excuses et vœux	UNITÉ **2** Ici, en classe
	Découvertes Les rituels sociaux	*Découvertes* Communication et technologies
INTERACTION	DES CONVERSATIONS ▶ accueillir quelqu'un, s'excuser, remercier	DES CONVERSATIONS ▶ interagir au téléphone, féliciter…
RÉCEPTION ORALE	DE L'ÉCOUTE ▶ comprendre des annonces enregistrées	DE L'ÉCOUTE ▶ comprendre une émission à la radio
RÉCEPTION ÉCRITE	DE LA LECTURE ▶ comprendre une affiche	DE LA LECTURE ▶ comprendre une définition
PRODUCTION ÉCRITE	DES TEXTES ▶ écrire des cartes de vœux	DES TEXTES ▶ écrire des plaques commémoratives

— **PROJET :** Des chiffres et des lettres —

ORGANISATION D'UNE UNITÉ

▶ DES ENTRÉES PAR COMPÉTENCES

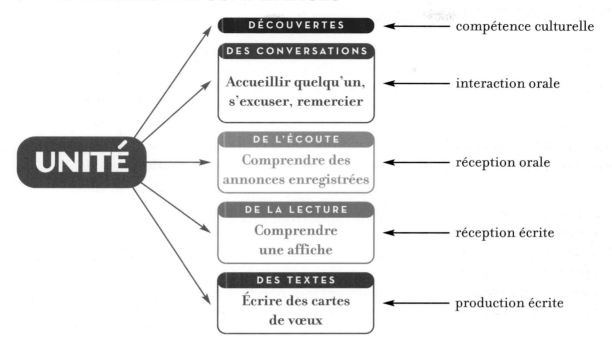

UNITÉ

- **DÉCOUVERTES** ← compétence culturelle
- **DES CONVERSATIONS** — Accueillir quelqu'un, s'excuser, remercier ← interaction orale
- **DE L'ÉCOUTE** — Comprendre des annonces enregistrées ← réception orale
- **DE LA LECTURE** — Comprendre une affiche ← réception écrite
- **DES TEXTES** — Écrire des cartes de vœux ← production écrite

▶ DES CONTENUS AU SERVICE DE LA COMPÉTENCE

Zoom sur DES CONVERSATIONS

Des compétences formelles

DES MOTS

l'entrée (f.)
le salon (une pièce à part ou une partie de la salle)
des fauteuils (m.)
l'appartement (m.) ou la maison (la chambre à coucher, le bureau, la cuisine, la salle de bains...)
la salle à manger, le séjour (mais on prend souvent ses repas dans la cuisine)

DES FORMES

15. Trouvez les mots comme *moi, je.../toi, tu.*
Puis complétez le tableau GRAMMAIRE.

1. Moi, j'arrive vers huit heures, mais lui, je le connais, il va être là plus tard.
2. Et vous, vous êtes contents ?
3. Cet été, nous, nous allons en Normandie. Eux, ils vont au Mexique. Quelle chance !
4. Moi, je suis timide, mais elle, elle n'est pas timide du tout, alors.

GRAMMAIRE
Pronoms personnels sujets
Singulier
1ᵉ personne   Moi, ...
2ᵉ personne   ... ta
3ᵉ personne   Lui, il ... (n.) ...
Pluriel
1ᵉ personne   Nous, ... (No)
2ᵉ personne
3ᵉ personne   Eux, ils ... (m.)

Les formes comme *moi, toi,*
rattachées au verbe comme
Elles peuvent servir à mett
- Mais je n'aime pas les cock
- Te t'appelles Marie, toi aus
- Lui, il est content ça !

DES SONS

23. Cochez oui, quand vous entend non, dans le cas contraire.

1. Jacques est un journaliste sportif t
2. Tatiana est informaticienne et actue
3. Christine, elle, elle est juriste.
4. Gérard est comptable mais au chôm

24. Écoutez et répétez.
1. Jacques et Tatiana sont des jeune

Des compétences communicatives

DES RÉPLIQUES

10. Qu'est-ce qu'ils se disent ?
Un couple est invité par une voisine. Ils apportent des chocolats.
- Vous voilà...
-
- Oh ! ...
-

Quand on veut se corriger, se reprendre, on peut dire :
- Moi, je prendrais bien un jus de pomme, non, non, pardon, d'abricot.
- La rue Victorine est là, à droite. Euh... non, excusez-moi, pas à droite, à gauche.

COMMUNICATION

Pour accueillir des invités, on dit :
- Vous voilà. Bienvenue chez nous !
- Entrez, je vous en prie. / Entre, je t'en
Quand on vous offre quelque chose (de colats...), on peut dire pour remercier :
- Merci (beaucoup).
- C'est gentil. Merci.
- Je vous/te remercie.
Si on a du retard, on s'excuse :
- Excusez-nous pour le retard, mais le circ
- Je m'excuse pour le retard.
- (Je suis) désolé(e) d'être en retard / pa
- Je regrette, je suis en retard.

Réinvestissement des acquis

ET MAINTENANT À VOUS !

27. Imaginez et jouez les conversations.

A - Anaïs est invitée chez sa collègue   C
Gaëlle. Elle apporte des fleurs.
- Bonsoir, Anaïs...
- Bonsoir, Gaëlle...

B - Madame Chardonnet accueille sa petite fille
Léa et Fabrice, son mari. Ils apportent des
chocolats. (6 répliques)

MADAME C. - Ma petite Léa, comment vas-
tu ? Et vous Fabrice, vous allez bien ?

Et en fin d'unité :

Bilan de compétence

ALORS, VOTRE FRANÇAIS ?

Approche méthodologique

Alors ? est destiné à accompagner et à encadrer l'apprentissage du français pour les adultes ou grands adolescents qui, parfois, connaissent déjà d'autres langues. **Alors ?** va les guider dans leurs premiers pas en français et leur donner envie de continuer.

Alors ? vise des objectifs réalistes calibrés sur le niveau A2 par le *Cadre européen commun de référence pour les langues* mis au point au Conseil de l'Europe et sur le *Niveau A2 pour le français*, qu'il est le premier à utiliser.
L'apprentissage est organisé en 5 modules de 2 unités rendues homogènes par des « fils rouges » différents, qui se rapportent aux contenus mais aussi aux formes de la communication.

Les auteurs sont partis du principe que la langue est un ensemble différencié de compétences, solidaires mais relativement indépendantes les unes des autres et dont chaque élément est susceptible de relever d'un traitement méthodologique particulier.

La structure méthodologique profonde de **Alors ?** est fondée sur l'approche par compétences puisque chaque séquence de chaque unité est consacrée à l'une d'elles et que toutes les unités présentent une organisation semblable, destinée à mettre en évidence la démarche adoptée.
Les savoirs sont donc articulés entre eux de manière visible pour les apprenants.

Toutes les compétences sont présentes, dont les compétences graphiques et phonétiques. Elles sont identifiées par les entrées : Découverte, Des conversations, De l'écoute, De la lecture, Des textes.

Alors ? propose donc des contenus permettant l'acquisition de compétences de communication, de compétences formelles et de compétences culturelles.
On y enseigne ces compétences pour ce qu'elles sont, suivant en cela la typologie de compétences du Cadre... Même si le Cadre ne donne pas d'indications sur les méthodologies d'enseignement à privilégier, on voit bien qu'écouter (sans produire), en suivant attentivement le fil du discours, n'est pas la même chose que produire un texte, tranquillement, avec sa grammaire et son dictionnaire et en prenant le temps de corriger et d'améliorer.

Prendre la notion de compétence au sérieux, c'est les gérer chacune en fonction des stratégies qu'elles mettent en jeu.

Pour **Alors ?**, on a choisi les formes du français à enseigner en partant du *Niveau A2 pour le français*. Cet instrument de référence tient compte de ce que l'on sait des acquisitions du français ainsi que de l'expérience collective de ceux qui enseignent cette langue dans le monde. Il sert de référentiel à la construction des épreuves du DELF A2. L'enseignement grammatical est donc vraiment très progressif.

Enfin, ce manuel tient compte de l'état du monde, devenu plurilingue et pluriculturel, de manière encore plus évidente. Il fait symboliquement place à d'autres langues et souhaite favoriser une ouverture à la diversité linguistique. Il donne des informations pertinentes sur la vie en France, pour faire réfléchir plus généralement aux questions de société et aux relations entre les personnes.

Alors ? est un manuel rigoureux et calibré, mais qui demeure un instrument à la mesure du plaisir d'enseigner.

Les auteurs

TABLEAU DES CONTENUS

MODULE 1 (pages 11 à 48) Formules

Compétence culturelle	Compétence de communication	Compétence grammaticale	Compétence lexicale	Phonétique et orthographe
UNITÉ 1 Excuses et vœux				**page 12**
• Convivialité (lieux et société, l'apéritif)	• INTERACTION ORALE : Accueillir quelqu'un, s'excuser, remercier • RÉCEPTION ORALE : Comprendre des annonces enregistrées • RÉCEPTION ÉCRITE : Comprendre une affiche • PRODUCTION ÉCRITE : Écrire des cartes de vœux	• Pronoms personnels toniques *moi, je... ; toi... tu* • Pronoms personnels objets *me, te, le..* • Les verbes en –er comme *appeler, acheter* • Les adjectifs possessifs *nos, vos, leurs*	• La maison	• Le son [ʒ] • Les groupes rythmiques • Les lettres *j* + voyelle • Les lettres *g* + *i, e*
UNITÉ 2 Bravo et merci				**page 28**
• Communication et technologies (le portable, Internet)	• INTERACTION ORALE : Interagir au téléphone, féliciter • RÉCEPTION ORALE : Comprendre une émission à la radio • RÉCEPTION ÉCRITE : Comprendre une définition • PRODUCTION ÉCRITE : Écrire des plaques commémoratives	• *Qui, que* • Le passé composé • Le participe passé *J'ai eu, elle a été* • *Longtemps, pendant..., de... à*	• *Communiquer* (téléphone, clavier etc.)	• Les sons [i] et [ij] • Les lettres *i, y, ill*

Projet page 44 • Préparation au DELF page 45 • Évaluation pages 46-47 • Apprendre en autonomie page 48

MODULE 2 (pages 49 à 86) Actions

Compétence culturelle	Compétence de communication	Compétence grammaticale	Compétence lexicale	Phonétique et orthographe
UNITÉ 3 Faire et dire				**page 50**
• Jeunes : enquête	• INTERACTION ORALE : Demander de l'aide, donner des instructions • RÉCEPTION ORALE : Comprendre un message enregistré • RÉCEPTION ÉCRITE : Comprendre un article d'un magazine de consommateurs • PRODUCTION ÉCRITE : Écrire un règlement	• *Ce/cet, cette, ces* • Le verbe *voir* • *Envoyer, appuyer* • Les articles partitifs *du, de la (de l'), des, de*	• Opérations manuelles • Préfixe *de-* • Suffixe *-ier*	• Les [b] et [v] • Les lettres *b* et *v*
UNITÉ 4 Faire ci ou faire ça				**page 66**
• Les vacances des Français	• INTERACTION ORALE : Proposer quelque chose, accepter, refuser • RÉCEPTION ORALE : Comprendre une émission de cuisine • RÉCEPTION ÉCRITE : Comprendre une brochure d'informations • PRODUCTION ÉCRITE : Écrire un texte de promotion touristique	• *S'il y a du soleil :* L'hypothèse (supposition, condition) la préposition *si* + *indicatif* • *Sinon... ou* + *indicatif* • *Sortir, partir* • *Quelques, plusieurs* • *Le long de...* • *Au milieu de...* • *Au sommet de...*	• Loisirs, distractions	• Le son [ʃ] • Les lettres *ch*

Projet page 82 • Préparation au DELF page 83 • Évaluation pages 84-85 • Apprendre en autonomie page 86

MODULE 3

(pages 87 à 124) Sentiments

Compétence culturelle	Compétence de communication	Compétence grammaticale	Compétence lexicale	Phonétique et orthographe
UNITÉ 5 Cœur et santé				page 88
• Autour du couple	• INTERACTION ORALE : Exprimer son intérêt pour quelqu'un, exprimer l'affection • RÉCEPTION ORALE : Comprendre une chanson • RÉCEPTION ÉCRITE : Lire un horoscope • PRODUCTION ÉCRITE : Écrire une lettre au courrier du cœur	• *J'étais...* *L'imparfait (1)* • *Aussi brillant que...* • *Le plus beau, le moins cher* • *Le verbe* connaître	• Qualités et sentiments	• Le son [k] • Les lettres c + o/a, qu + voyelle
UNITÉ 6 Problèmes problèmes				page 104
• Le bénévolat	• INTERACTION ORALE : Interroger sur la tristesse, l'abattement, exprimer sa sympathie, rassurer • RÉCEPTION ORALE : Comprendre une interview à la radio • RÉCEPTION ÉCRITE : Comprendre un test de magazine • PRODUCTION ÉCRITE : Écrire une lettre à un(e) amie	• Les pronoms indéfinis *rien, quelque chose* • Le verbe *écrire* • Du pluriel : *eau, eu, al* • *Se soigner, s'excuser, se renseigner, s'appeler* • La phrase négative : *ne... plus, ne... jamais, ne... rien, ne... personne*	• Problèmes ordinaires : la santé, le travail, l'argent...	• Le son [g] • Les lettres g + a, o, u ; gu + i, e

Projet page 120 • Préparation au DELF page 121 • Évaluation pages 122-123 • Apprendre en autonomie page 124

MODULE 4

(pages 125 à 162) Récits

Compétence culturelle	Compétence de communication	Compétence grammaticale	Compétence lexicale	Phonétique et orthographe
UNITÉ 7 C'est qui ? C'est comment ?				page 126
• Les classes sociales	• INTERACTION ORALE : Décrire quelqu'un • RÉCEPTION ORALE : Comprendre un bulletin météo • RÉCEPTION ÉCRITE : Comprendre une courte interview • PRODUCTION ÉCRITE : Écrire des notices biographiques	• Les adjectifs qualificatifs : formes au masculin et au féminin • *Il fait beau, il neige, il pleut...* • Le verbe *décrire* • Les verbes en *-indre* • Les adjectifs possessifs féminins *mon, ton, son* devant voyelle ou *h*	• Portraits : l'être humain, perceptions et sentiments	• Les voyelles nasales [ɑ̃], [ɔ̃], [ɛ̃]
UNITÉ 8 Et après ? Et après ?				page 142
• La mémoire et l'histoire	• INTERACTION ORALE : Raconter une anecdote, une histoire, attirer l'attention • RÉCEPTION ORALE : Comprendre une interview à la radio • RÉCEPTION ÉCRITE : Comprendre des faits divers • PRODUCTION ÉCRITE : Écrire une brève	• L'imparfait (2) • Les verbes en *-oir* • Les pronoms démonstratifs *ça* et *cela* • *Près de...* *Loin de...* • La forme passive	• Événements	• Les sons [ɛ], [œ] et [ø] • Les lettres è, ê, ai, ei, e • Les lettres œu, eu

Projet page 158 • Préparation au DELF page 159 • Évaluation pages 160-161 • Apprendre en autonomie page 162

MODULE 5

(pages 163 à 200) Opinions

Compétence culturelle	Compétence de communication	Compétence grammaticale	Compétence lexicale	Phonétique et orthographe

UNITÉ 9 Sûr et certain
page 164

• L'université en France	• INTERACTION ORALE : Exprimer un point de vue, exprimer une certitude • RÉCEPTION ORALE : Comprendre et apprécier un poème • RÉCEPTION ÉCRITE : Comprendre un appel à participer à la vie collective • PRODUCTION ÉCRITE : Écrire une lettre de motivation	• Le futur des verbes *parler, avoir, être, voir* • Le verbe *valoir* • *Par* • Les pronoms démonstratifs *celui-ci, celle-là*	• Profession et métier	• Les liaisons (1) • Les consonnes de liaison

UNITÉ 10 Peut-être… peut-être
page 180

• Le système de santé en France	• INTERACTION ORALE : Exprimer une incertitude, exprimer l'évidence • RÉCEPTION ORALE : Comprendre et apprécier une chanson • RÉCEPTION ÉCRITE : Comprendre un débat d'idées • PRODUCTION ÉCRITE : Écrire au courrier des lecteurs	• Les pronoms personnels objets indirect *lui, leur* • L'impératif affirmatif + COD et COI • Les verbes en *–ayer* • L'interrogation à inversion	• Certitude, probabilité, possibilité	• Les liaisons (2) • Les consonnes de liaison *n, r, p* • Le *h* aspiré et le *h* muet

Projet page 196 • Préparation au DELF page 197 • Évaluation pages 198-199 • Apprendre en autonomie page 200

MODULE **1**
Formules

Contrat d'apprentissage

UNITÉ **1** Excuses et vœux

(*Découvertes*) Convivialité

INTERACTION

DES CONVERSATIONS
▶ accueillir quelqu'un, s'excuser, remercier

RÉCEPTION ORALE

DE L'ÉCOUTE
▶ comprendre des annonces enregistrées

RÉCEPTION ÉCRITE

DE LA LECTURE
▶ comprendre une affiche

PRODUCTION ÉCRITE

DES TEXTES
▶ écrire des cartes de vœux

UNITÉ **2** Bravo et merci

(*Découvertes*) Communication et technologies

DES CONVERSATIONS
▶ interagir au téléphone, féliciter...

DE L'ÉCOUTE
▶ comprendre une émission à la radio

DE LA LECTURE
▶ comprendre une définition

DES TEXTES
▶ écrire des plaques commémoratives

PROJET : Des chiffres et des lettres

Excuses et vœux

Découvertes

Convivialité

Lieux et société

En France, les jeunes, les élèves et les étudiants surtout, ont un réseau d'amis assez large (leur « bande », parfois). Les occasions pour se faire des amis sont nombreuses : le lycée ou l'université, les discothèques, les cafés, les cinémas, les rencontres sportives, les concerts, les salles de sport. Plus tard, les relations dépendent surtout du lieu de travail et de résidence : les collègues, les voisins (quand on est à la retraite). On invite souvent les amis à la maison.

Les gens se rencontrent aussi dans d'autres lieux comme les associations. Cela concerne surtout les personnes âgées de 35 à 64 ans. « *Participer socialement, rencontrer des gens* » est une motivation principale (57 %) des bénévoles des associations.

[D'après Données INSEE, 1999 et 2004, et *Les valeurs des Français*, p. 203-206, H. Riffault, PUF, 1994]

1. **Quels lieux de convivialité ?**

1. On parle : ❏ d'amis   ❏ de loisirs   ❏ de travail

2. On parle : ❏ des jeunes seulement   ❏ des jeunes et des moins jeunes

3. Qui a plus d'amis ?

4. D'après vous, *un réseau (d'amis)* signifie :
   ❏ un ensemble   ❏ un petit groupe   ❏ une association

5. Dans votre pays, où est-ce qu'on rencontre ses amis ?
   Est-ce que vous invitez les amis à dîner chez vous ?

6. En France, on invite à dîner ou à l'apéritif. Savez-vous ce qu'est l'apéritif ?
   ❏ Une réunion de travail.   ❏ Un spectacle.   ❏ Une sorte de petit repas.

7. Dans quels autres lieux les gens se rencontrent ?

8. *Bénévole* dérive du latin *bene* (bien), *volo* (je veux), donc : *vouloir le bien*.
   Quelle est l'une des principales motivations des bénévoles des associations ?

L'apéritif

Les Français invitent les amis à la maison. Trois Français sur dix organisent un apéritif à la maison au moins une fois par mois. On prend l'apéritif dans le salon, assis dans des fauteuils, d'habitude le soir vers 19 h /19 h 30. On boit un verre (avec ou sans alcool) avec des fruits secs, des tartines, des olives, des chips. Les jeunes, en particulier, transforment souvent l'apéritif en repas : une fois par mois pour la moitié des moins de 35 ans.

[D'après une enquête IPSOS, mars 2006]

2. Quelles pratiques ?

1. Combien de Français invitent des amis à la maison au moins une fois par mois ?

2. On prend l'apéritif : ❑ dans la cuisine ❑ dans le salon ❑ dans l'entrée

3. Pour qui l'apéritif devient souvent un repas ?

4. D'après vous, une *tartine* est :
   ❑ une tranche de viande
   ❑ une tranche de pain avec du beurre, du jambon...
   ❑ une tranche de gâteau

En France, l'apéritif fait partie des rituels sociaux, chez les jeunes et les moins jeunes.

Que pensez-vous de cette habitude ?

SAVOIR-VIVRE

Quand on est invité à dîner, la politesse est :

● d'arriver environ 10 minutes après l'heure prévue ;

● d'apporter quelque chose : du vin, des fleurs, des chocolats.

Accueillir quelqu'un, s'excuser, remercier

Vous voilà !

3. **Écoutez et lisez.**

Jacques et Tatiana, jeunes mariés, invitent un couple d'amis à dîner, un samedi soir.
(Dans l'entrée)

JACQUES. — Ah ! Vous voilà. Bienvenue chez nous.
ALAIN. — Bonsoir Jacques. Excusez-nous d'être en retard, mais la circulation…, vous savez.
JACQUES. — Ce n'est pas grave. Ah, voilà Tatiana.
TATIANA. — Comment allez-vous ? Oh, les belles fleurs ! C'est vraiment gentil. Merci beaucoup.
CHRISTINE. — De rien, de rien.

(Dans le salon)

JACQUES. — Vous avez eu du mal à arriver ici ?
CHRISTINE. — Ben, on ne trouve pas à se garer dans le quartier…
JACQUES. — Ah oui, surtout en fin de semaine. Venez, installez-vous, je vous en prie.
TATIANA. — Alors, qu'est-ce que je vous offre ?
CHRISTINE. — Moi, je prendrais bien un jus de pomme. Non, non, pardon, d'abricot.
ALAIN. — Pour moi, un grand verre d'eau, j'ai soif.
TATIANA. — Drôle d'apéritif !
JACQUES. — Et après, on visite la maison !

> *DANS VOTRE LANGUE, COMMENT VOUS ACCUEILLEZ QUELQU'UN ? ET POUR VOUS EXCUSER ?*

> **Bun venit la noi!** *

* En roumain : Bienvenue chez vous !

4. **Écoutez encore et répondez.**

1. Qui invite ?   ❏ Jacques et Tatiana.   ou   ❏ Alain et Christine.

2. C'est :   ❏ le soir   ❏ le matin   ❏ l'après-midi

5. **Vrai ou faux ?**

	Vrai	Faux
1. Jacques s'excuse du retard.	❏	❏
2. Tatiana remercie ses invités pour les fleurs.	❏	❏
3. Il est difficile de trouver un taxi en ville.	❏	❏
4. Le samedi, dans le quartier de Jacques et Tatiana, les places de parking pour les voitures sont rares.	❏	❏

6. Que boivent les invités comme apéritif ?

Christine : …   Alain : …

7. *Drôle de + nom (chose, personne) signifie :*
pas comme les autres, surprenant/e.

Pouvez-vous expliquer pourquoi Tatiana dit *drôle d'apéritif* ?

> ## Alors ?
> • Pour accueillir les invités, Jacques dit : …
> • Pour s'excuser, Alain dit : …
> • Pour remercier, Tatiana dit : …
> • Pour se corriger, Christine dit : …
> • Écoutez à nouveau et jouez la conversation à quatre.

DES MOTS | La maison

On accueille les invités dans	l'entrée (f.)
On s'installe dans	le salon (une pièce à part ou une partie de la salle)
On prend l'apéritif assis dans	des fauteuils (m.)
On peut montrer aux invités	l'appartement (m.) ou la maison (la chambre à coucher, le bureau, la cuisine, la salle de bains…)
On dîne avec les invités dans	la salle à manger, le séjour (mais on prend souvent ses repas dans la cuisine)

8. **Trouvez le nom de la pièce correspondant.**

1. On prépare les repas dans la … .

2. Il y a une table de travail, un ordinateur, des livres, des dossiers.
   C'est le … .

3. Il y a des fauteuils, une table basse, parfois un téléviseur.
   C'est le … .

4. C'est la pièce où l'on déjeune, où l'on dîne les jours de fête ou avec des invités.
   C'est la … .

9. **Décrivez votre maison.**

DES RÉPLIQUES — Accueillir quelqu'un, s'excuser, remercier

10. Qu'est-ce qu'ils se disent ?

Un couple est invité par une voisine. Ils apportent des chocolats.

– Vous voilà…

– …

– Oh ! …

– …

Quand on veut se corriger, se reprendre, on peut dire :
– Moi, je prendrais bien un jus de pomme, non, non, pardon, d'abricot.
– La rue Vivienne est là, à droite. Euh… non, excusez-moi, pas à droite, à gauche.

COMMUNICATION

Pour accueillir des invités, on dit :
– Vous voilà. Bienvenue chez nous !
– Entrez, je vous en prie. / Entre, je t'en prie.

Quand on vous offre quelque chose (des fleurs, des chocolats…), on peut dire pour remercier :
– Merci (beaucoup).
– C'est gentil. Merci.
– Je vous/te remercie.

Si on a du retard, on s'excuse :
– Excusez-nous pour le retard, mais la circulation, vous savez.
– Je m'excuse pour le retard.
– (Je suis) désolé(e) d'être en retard / pour le retard.
– Je regrette, je suis en retard.

11. Choisissez deux répliques pour compléter la conversation entre Régis et Sylvain.

Sylvain va voir Régis. Il est en retard.

– Bonjour, Régis, tu vas bien ? Je m'excuse du retard, mais le train, tu sais…
– L'avion part dans cinq minutes.
– Oui, merci. Je prendrais bien du jus de pomme. Euh…, non, un jus de tomate, plutôt, s'il te plaît.
– L'eau minérale est au frigo.
– Bonjour, Sylvain. Entre, je t'en prie.

– …

– Ça arrive. Ce n'est pas grave. Tu prends quelque chose ?

– …

12. Complétez la conversation.

Vanessa accueille Frédérique chez elle pour un mois. Frédérique vient de Tahiti. À son arrivée, elle offre des coquillages à son amie.

VANESSA. – Salut Frédérique, comment vas-tu ? Entre, je t'en prie.

FRÉDÉRIQUE. – Merci. Tu as l'air en forme !

VANESSA. – …

FRÉDÉRIQUE. – …

VANESSA. – …

FRÉDÉRIQUE. – Non, merci, j'ai mangé dans l'avion. Tiens, … j'ai un cadeau pour toi.

VANESSA. – …

FRÉDÉRIQUE. – Ce n'est rien, c'est un petit souvenir de Tahiti.

DES FORMES   (Moi, je... ; toi, tu...)

> Vous avez déjà rencontré les pronoms personnels *moi, je…/toi, tu*
> pour se présenter par exemple :
> Moi, je *suis Zoé et* toi, tu *t'appelles comment ?*

13. Trouvez les mots comme *moi, je…/toi, tu.*
Puis complétez le tableau GRAMMAIRE.

1. Moi, j'arrive vers huit heures, mais lui, je le connais, il va être là plus tard.

2. Et vous, vous êtes contents ?

3. Cet été, nous, nous allons en Normandie. Eux, ils vont au Mexique. Quelle chance !

4. Moi, je suis timide, mais elle, elle n'est pas timide du tout, alors.

« Moi, je suis timide, mais elle,
elle n'est pas timide du tout, alors. »

GRAMMAIRE

Pronoms personnels sujets

Singulier
1re personne	Moi, ...
2e personne	..., tu
3e personne	Lui, il ... (m.) Elle, ... (f.)

Pluriel
1re personne	Nous, ... (Nous, on...)
2e personne	...
3e personne	Eux, ils ... (m.) Elles, elles ... (f.)

Les formes comme moi, toi, lui/elle... **ne sont pas rattachées au verbe comme** je, tu **etc.**
Elles peuvent servir à mettre en relief et à insister :
– Mais je n'aime pas les cocktails, moi !
– Tu t'appelles Marie, toi aussi ?
– Lui, il est comme ça !

14. À l'aide du tableau GRAMMAIRE, complétez avec les bons pronoms personnels.

1. – Bonjour. Moi, je suis Sandrine Fraîche.
   – Et ..., Hélène Vial, la secrétaire de monsieur Brajon. Entrez, je vous en prie.

2. – ... es stagiaire ?... aussi. Je suis ici pour six mois.

3. – ..., je cherche de ce côté et ..., va de l'autre côté.

4. – ... restez ici. D'accord ?

5. – Lui, ... est sympathique, mais ..., elle n'est vraiment pas agréable du tout.

6. – Éric et Myriam viennent au cinéma ?
   – Non, ils ne sortent jamais le soir, ...

GRAMMAIRE

Les mêmes formes moi, toi...
s'utilisent avec une préposition :
Bienvenue chez nous.
C'est pour moi.

« Moi, je cherche de ce côté
et toi, va de l'autre côté. »

15. Complétez par le pronom *moi, toi...*

Exemple : Miwa, ces fleurs sont pour ... . → Ces fleurs sont pour *toi*.

1. Je sors. Vous venez faire les courses avec ... ?

2. Ah, mon fils ? Son travail est très important pour ... .

3. Mes amies d'enfance ? Je pense toujours à ... .

4. Michèle invite tous ses amis chez ..., demain.

Me, te, le/la...

> **Vous connaissez les constructions verbe + complément d'objet direct :**
> *J'aime le chocolat ! Le chocolat, j'aime !* (*Alors ?*, niveau A1, p. 52)

16. Observez ces phrases.

a. Michèle invite *ses amis*.   Michèle *les* invite.
b. Il achète *le fromage* rue Cadet.   Il *l(e)*'achète rue Cadet.
c. Je salue *Françoise*.   Je *la* salue.

Dans la phrase a, *les* remplace ... .
Dans la phrase b, *le* remplace ... .
Dans la phrase c, *la* remplace ... .

> **GRAMMAIRE**
>
> **La série de pronoms** me, te, le, la **sert à remplacer un nom complément du verbe.**
>
> **En grammaire, on dit** pronoms complément d'objet (direct).

17. Observez ces pronoms.

GRAMMAIRE

Pronoms personnels sujets	Pronoms personnels objets	
Je	me	Il *m*'appelle souvent.
Te	te	Je *te* vois sur la photo, là.
Il/Elle	le/la	Nous *le/la* rencontrons à l'arrêt du bus.
Nous	nous	Tu *nous* regardes d'une manière bizarre.
Vous	vous	Elle *vous* a salué ?
Ils/Elles	les	On *les* aime.

	Oui	Non
1. Le pronom personnel objet est après le verbe.	❏	❏
2. Le pronom personnel objet est avant ou après le verbe.	❏	❏
3. À la 3ᵉ personne du singulier, il y a deux formes : une pour le masculin et une pour le féminin.	❏	❏
4. À la 3ᵉ personne du pluriel, il y a deux formes : une pour le masculin et une pour le féminin.	❏	❏

18. Remplacez le nom souligné par le pronom personnel correspondant.

Exemple : Tatiana accueille <u>les invités</u>. → Tatiana *les* accueille.

1. Il quitte <u>cette ville</u> avec regret.

2. Ils visitent <u>l'appartement</u>.

3. On réserve <u>deux chambres</u> pour une nuit.

4. Ils connaissent bien <u>les pays asiatiques</u>.

Les verbes en –er et les verbes comme appeler, acheter

Vous connaissez déjà la conjugaison des verbes comme parler.
Complétez le tableau et répétez.

CONJUGAISON

Parler

Présent	Je parle	...	...
	Nous parlons	...	...
Impératif	Parle	Parlons	Parlez
Participe passé	parlé		
Passé composé	J'ai parlé	...	

Certains verbes en –er , comme jeter, (s')appeler, peser, acheter, (se) lever…
au présent, ont deux bases (et non une seule base).
Cherchez le sens de ces verbes.

19. **Observez et écoutez.**

a. Nous appelons un médecin tout de suite.
b. Je m'appelle Sylviane et toi ?
c. Elle achète toujours des fleurs.
d. Enlève ce pull ! Il fait chaud, voyons !

e. Vous jetez ça, immédiatement !
f. Nous achetons tout dans le quartier.
g. Qu'est-ce que tu jettes ?

1. Quelles sont les deux bases de :
   appeler : ...
   acheter : ...
   jeter : ...

2. Quelles personnes ont la même base que l'infinitif ?

3. Quelle personnes ont une base différente ?

CONJUGAISON

Les verbes comme appeler, acheter ont une base en [ε] et une base en [ə].

Appeler
[ə] : vous appelez [apəle]   nous appelons [apəlɔ̃]
[ε] : j'appelle, tu appelles   il appelle, ils appellent [apεl]

Acheter
[ə] : vous achetez [aʃəte]   nous achetons [aʃətɔ̃]
[ε] : j'achète, tu achètes   il achète, ils achètent [aʃεt]

Attention ! [ε] s'écrit ell, ett (j'appelle, je jette) **ou** è (j'achète), **selon les verbes.**

20. **Conjuguez à la 1ʳᵉ personne du singulier et du pluriel les verbes** *remercier,*
geler, rappeler, enlever. **Lisez les formes à haute voix.**

Quels verbes appartiennent aux groupes d'*appeler* et d'*acheter* ?

Apprenez la conjugaison de ces verbes (tableau des conjugaisons, p. 215).

DES SONS **Le son [ʒ]**

En français, il y a le son [ʒ] comme : je, gentil.

21. Écoutez à nouveau la conversation p. 15 et notez les mots avec le son [ʒ].

[ʒ]   *Jacques*   ...   .

22. Écoutez et cochez quand vous entendez le son [ʒ].

1. ☐   2. ☐   3. ☐   4. ☐   5. ☐   6. ☐

23. Cochez oui, quand vous entendez deux fois le son [ʒ] dans une phrase, non, dans le cas contraire.

	Oui	Non
1. Jacques est un journaliste sportif très brillant.	☐	☐
2. Tatiana est informaticienne et actuellement en congé maternité.	☐	☐
3. Christine, elle, elle est juriste.	☐	☐
4. Gérard est comptable mais au chômage depuis quelques mois.	☐	☐

24. Écoutez et répétez.

1. Jacques et Tatiana sont des jeunes mariés.
2. Ils ont un petit jardin.
3. À l'apéritif, ils ont servi des jus de fruit.
4. Pour les invités, ils ont préparé un plat traditionnel : le gigot aux flageolets.
5. Ils ont servi le fromage à la fin du repas, comme d'habitude.
6. Beaucoup de gens invitent des amis à la maison, surtout en fin de semaine.

En français, la syllabe accentuée est d'habitude la dernière syllabe du mot. Mais quand on parle, l'accentuation porte sur les groupes rythmiques (= un ensemble de mots). Un groupe rythmique se termine par une syllabe accentuée.

25. Écoutez à nouveau et indiquez par / les groupes rythmiques.

Exemple : Jacques et Tatiana / sont des jeunes mariés.

26. Activité du groupe-classe : un étudiant invente une phrase sur le modèle de de l'activité 24 et il l'écrit au tableau. Un autre étudiant la répète à haute voix : il doit respecter les groupes rythmiques et la prononciation. À vous !

Et maintenant, à vous !

27. Imaginez et jouez les conversations.

A - Anaïs est invitée chez sa collègue Gaëlle. Elle apporte des fleurs.
 – Bonsoir, Anaïs...
 – Bonsoir, Gaëlle...

B - Madame Chardonnet accueille sa petite fille Léa et Fabrice, son mari. Ils apportent des chocolats. (6 répliques)

 MADAME C. – Ma petite Léa, comment vas-tu ? Et vous Fabrice, vous allez bien ?

C - Laurent Migneret, 37 ans, informaticien, est invité pour la première fois chez son chef de service, monsieur Aubry. Madame Aubry l'accueille.

Excusez-nous

28. **De quoi s'agit-il ?**

Il s'agit de :

❏ 3 messages personnels

❏ 1 annonce adressée aux voyageurs d'un train et d'un message personnel

❏ 2 messages publicitaires et d'une annonce d'un supermarché

29. **Écoutez à nouveau l'annonce A.**

1. Le train : ❏ est en retard ❏ a une panne ❏ ne prend pas de voyageurs

2. Pour quelle raison ?
   ❏ Il y a une grève. ❏ Il y a une valise abandonnée. ❏ Le temps est mauvais.

3. C'est le train de ... h ... du quai ... à destination de ... Paris ... de Gaulle.

4. Complétez la dernière phrase de l'annonce.
   ... pour la gêne occasionnée. Donc, la *gêne* = ❏ voyage ❏ problème ❏ prix

5. D'après vous, que veut dire *suspect* ?
   ❏ qui peut être dangereux ❏ qui est trop lourd ❏ qui est ouvert

30. **Écoutez à nouveau l'annonce B.**

1. Qui laisse le message ? ❏ Henri. ❏ Gilles.

2. Pourquoi il laisse le message ? Il ne peut pas ... chez Henri ... .

3. Comment il s'excuse ? *Je suis ... .*

4. *À plus* est la réduction de : *à plus tard*. Cette formule sert à prendre congé. Cochez les mots utilisés pour prendre congé.

❏ Bonjour ❏ À plus tard ❏ Au revoir ❏ Bonsoir
❏ À bientôt ❏ Ciao (familier) ❏ Salut (familier) ❏ À tout à l'heure

Salut et **bonsoir** **sont utilisés : pour prendre congé et pour saluer.**

Vous connaissez des adjectifs comme *possible/**im**possible*. *Prévu(e)* signifie : *connu(e) avant*. Que signifie *imprévu(e)* ?

DES LETTRES — j + voyelle et g + i, e

En français les lettres j + voyelle **et les lettres g + i, e notent le son** [ʒ] : je, voyageur.

31. **Écoutez et lisez. Soulignez les lettres correspondant au son** [ʒ].

1. Le message 3. Bonjour 5. Le bagage
2. La gêne 4. Gilles 6. Les gens

32. **Écoutez et complétez les mots. Puis notez les mots dans le tableau.**

1. La ...oie 3. Des ima...es 5. Les ...eunes
2. Les voya...es 4. Les ...ours 6. Un ...us de fruit

	j	g + i, e
[ʒ]	joie	...
	...	

À Paris

la **fête**
des
voisins
immeubles en fête
mardi 29 mai 2007

www.immeublesenfete.com

Chers Parisiens,

Vous vivez dans le même immeuble. Vous ne vous rencontrez peut-être jamais. Quel dommage !

Alors, participez à la journée « Immeubles en fête » le mardi 31 mai : invitez vos voisins et donnez-vous rendez-vous dans la cour de l'immeuble pour un apéritif !

TOUS ENSEMBLE, VOUS ALLEZ CONSTRUIRE UNE VILLE PLUS CONVIVIALE ET PLUS SOLIDAIRE.

33. Quel événement ?

1. Dans l'affiche, il est question :
   ❏ d'un film   ❏ d'une réunion du conseil municipal   ❏ de la fête des voisins
   Dans quelle ville ?
   Quel jour ?

2. Qui propose de rencontrer ses voisins ?

34. Lisez cette lettre.

1. Pourquoi on propose aux Parisiens d'inviter leurs voisins ?

2. En quoi consiste la rencontre ?

3. Quel est l'objectif de la fête des voisins ?
   Construire ... ... plus conviviale et plus solidaire.

4. Cochez le nom de la même famille que : *convivial, solidaire.*

   ❏ solidité   ❏ solidarité   ❏ solitude
   ❏ convergence   ❏ conversion   ❏ convivialité

5. D'après vous, que veut dire *cour de l'immeuble* ?

6. *Convivial* vient du latin *cum vivere*, vivre avec. Il veut dire : *qui favorise les échanges entre les personnes.*
   Il y a *solidarité* quand les hommes s'aident les uns les autres, quand ils sont *solidaires.*
   Dans votre langue, quel mot pour *convivial* ? Et pour *solidaire* ?
   La solidarité, c'est important ?

Et chez vous, comment ça se passe avec vos voisins ?

Est-ce que vous êtes proches de vos voisins ?

Est-ce que vous discutez ensemble ?

Est-ce que vous organisez des fêtes ensemble ?

Bonne fête !

En France, on envoie des cartes de vœux à Noël, pour la nouvelle année, pour l'anniversaire ou la fête de quelqu'un.

D'après vous, la fête de quelqu'un c'est :
la fête du prénom, la fête du nom, la fête de mariage ?

Joyeux Noël !

35. **Voici des cartes de vœux.**

A - Carte d'anniversaire

Cher grand-père,
C'est bientôt le 4 avril.
Nous pensons à toi.
Gros bisous.
Bon anniversaire, pépé !
Émilie et Thomas

C - Carte de vœux

Chère madame Capillon,
Avez-vous passé les fêtes
de Noël en famille ?
Meilleurs vœux de bonne
et heureuse année.
Avec mes cordiales
salutations
Votre voisine,
Valérie Freyche

B - Carte de félicitations

Chère Laetitia, cher Jean-Luc,

Je viens de recevoir votre faire-part
de mariage. Quelle bonne nouvelle !
Mes vœux de bonheur !
Amitiés
Aziza

Bonne année, bonne santé !

1. Les mariés s'appellent … .

2. Pour ses 75 ans, monsieur Bourgeois reçoit les vœux de … .

3. Valérie envoie des vœux pour la nouvelle année à …, madame … .

36. Vous avez trois cartes de vœux à écrire. Aidez-vous des textes suivants.

Phrase d'introduction

- Tu vas bientôt avoir 75 ans, pépé !
- J'espère que vous allez bien.
- Je partage votre bonheur.

Vœux

- Meilleurs vœux pour la nouvelle année !
- Meilleurs vœux !
- Joyeux anniversaire !

Salutations de congé

- Amicalement
- Avec mes sincères salutations
- Bises

37. Écrivez une carte d'anniversaire à votre ami Youssef.

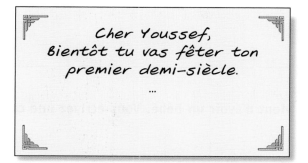

Cher Youssef,
Bientôt tu vas fêter ton
premier demi-siècle.
...

DES FORMES   **nos, vos, leurs**

Vous connaissez déjà les adjectifs possessifs correspondant aux trois personnes du singulier. Voici les adjectifs correspondant à nous, vous, ils/elles.

GRAMMAIRE

Adjectifs possessifs

	singulier	pluriel
je	mon oncle	mes amis
tu	ton anniversaire	tes habitudes
il/elle/on	son travail	ses voyages
nous	**notre** ville	**nos** voisins
vous	**votre** quartier	**vos** vœux
ils/elles	**leur** mariage	**leurs** parents

38. Complétez par le bon adjectif possessif.

1. Chers amis, on vient de recevoir ... vœux pour le nouvel an. Merci !

2. Je suis très content et vous remercie beaucoup du cadeau pour ... anniversaire.

3. Tu sais, Vladimir a écrit. Tu as vu ... carte de vœux ?

4. Ah, Lise et Vincent se sont mariés. ... faire-part vient d'arriver.

5. Dis, Coralie, ... fête, c'est quand ?

6. Nous nous sommes mariés en avril. On fête ... anniversaire de mariage le 25.

39. **Mettez les phrases au pluriel.**

Exemple : Ton ami arrive bientôt. ➔ *Tes amis* arriv*ent* bientôt.

1. Notre voisin ne peut pas venir ce soir.

2. Son collègue fait une fête demain.

3. Votre carte n'est pas arrivée.

4. Leur enfant vit à l'étranger.

5. Mon copain habite dans le centre.

6. Ta fille appelle beaucoup sa copine au téléphone.

Et maintenant, à vous !

40. **Votre amie canadienne vient d'avoir un bébé. Vous écrivez une carte de vœux pour la féliciter.**

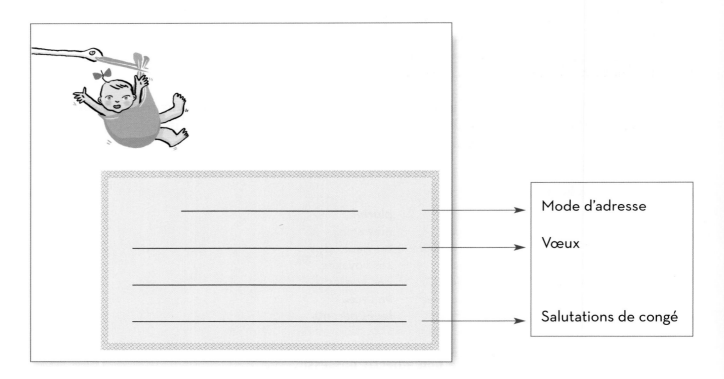

Mode d'adresse

Vœux

Salutations de congé

41. **Écrivez une carte de vœux :**

– à votre professeur de français, pour Noël ;

– à votre amie Marthe, pour sa fête (le 29 juillet) ;

– à vos amis, Julien et Rachida : le 14 février, c'est leur anniversaire de mariage.

Alors, votre français ?

COMMUNIQUER

À l'oral, je peux :

❏ accueillir quelqu'un,   *Ah ! Vous voilà. Bienvenue chez nous.*
   m'excuser,   *Excusez-nous de…*
   remercier   *C'est gentil. Merci.*

À l'écrit, je peux :

❏ écrire une carte de vœux   *Meilleurs vœux de bonne*
                                    et heureuse année.

GRAMMAIRE

Je sais utiliser :

Les verbes

❏ en -er,   *J'appelle Marie.*
   dont *appeler, jeter*   *Nous achetons une maison.*

La syntaxe

❏ les pronoms :
   les pronoms personnels   *Moi, je suis Zoé et toi ?*
   les pronoms toniques   *C'est pour lui.*
                                     Je rentre avec vous.
   les pronoms personnels   *Tatiana les accueille.*
   COD   *Il la quitte.*

❏ les adjectifs :   *Nos voisins*
   les adjectifs possessifs   *Vos vœux*
                                     Leur faire-part …

NOTIONS ET LEXIQUE

Je sais utiliser les mots concernant :

❏ La maison
   l'entrée
   le salon
   la salle à manger
   le séjour
   l'appartement
   la chambre à coucher
   le bureau
   la cuisine
   la salle de bains
   le fauteuil

Découvertes

Communication et technologies

COMMUNICATION

En France, les dépenses des familles pour les objets produits par les technologies de l'information et de la communication (téléphone, Internet, téléviseur : TIC) progressent sans interruption.

Entre 1960 et 2005 : l'augmentation est d'environ 13 % tous les ans. La hausse de la consommation en communication s'explique surtout par la diffusion du téléphone portable (ou mobile).

En 2006,
→ 83 % des Français (= 50 millions) possèdent un portable (contre 10 % en 1997),
→ 54 % possèdent un ordinateur,
→ 40 % environ utilisent Internet.

LE PORTABLE

Certains pays européens enregistrent des pourcentages (concernant le portable) supérieurs à **100 %** : en 1994, ce taux est déjà de **103 %** en Grande-Bretagne et de **109 %** en Italie. Plus d'un portable par personne !

Les conversations téléphoniques sont plus nombreuses surtout entre amis et membres de la famille. Ceci peut confirmer l'hypothèse que l'utilisation du téléphone sert à compenser la diminution de relations entre les personnes.

Le marché du portable explose : 69 modèles sont vendus en France. Le portable est devenu un véritable phénomène de société, pour toutes les classes d'âge.

[D'après *Données sociales INSEE*, 1999 et *INSEE Première*, n° 1101, septembre 2006]

1. Comment communiquent les Français ?

1. On parle :
   ❏ de transports en commun ❏ de loisirs ❏ de nouvelles technologies

2. Il s'agit des dépenses des familles pour … .

3. ❏ Elles augmentent ou ❏ elles baissent ?

4. On observe ce phénomène seulement en France ?

5. De 1960 à 2005, les dépenses pour les TIC ont augmenté de … %.

6. En 2005, combien de Français possèdent un portable ?
   Combien utilisent Internet ?

7. Qui sont les champions du portable en Europe ?

8. Est-ce que le portable est seulement un objet utile ?

> Dans votre pays aussi, le portable est très diffusé ?
>
> Est-ce qu'il fait partie des objets à la mode ?
>
> Que pensez-vous de l'utilisation du portable ?

INTERNET

L'utilisation d'Internet s'intensifie et se diversifie : un tiers (1/3) des internautes achètent des produits ou des services en ligne.

LES PRODUITS LES PLUS ACHETÉS EN TÉLÉCHARGEMENT OU EN CONSULTATION EN LIGNE, FIN 2005 (en % des acheteurs en ligne par téléchargement)

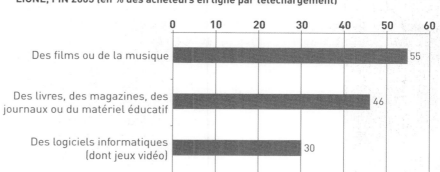

	%
Des films ou de la musique	55
Des livres, des magazines, des journaux ou du matériel éducatif	46
Des logiciels informatiques (dont jeux vidéo)	30

[Source : Insee - enquête sur les technologies de l'information et de la communication, octobre 2005]

2. Quelle utilisation d'Internet ?

1. Le graphique concerne :
   ❏ le nombre d'abonnés à Internet
   ❏ les sites les plus visités
   ❏ les achats en ligne

2. Combien d'internautes achètent des produits en ligne ?

3. Les produits les plus achetés sont :
   ❏ des vêtements
   ❏ de l'équipement pour la maison
   ❏ des produits pour les loisirs, l'information et l'éducation

4. Quel pourcentage représente l'achat de films et de musique ?

> D'après vous, est-ce que les achats en ligne peuvent changer les habitudes des gens et l'organisation de leur environnement (villes, villages) ?
>
> Observez-vous la même tendance chez vous ?

Allô

3. **Écoutez et lisez.**

Le numéro que vous avez demandé n'est plus en service actuellement…

C. L. – Ah, zut ! Allô, bonjour. C'est bien la Société FROMU ?
La standardiste. – Oui, ici la Société FROMU. Je vous écoute.
C. L. – Oui, bonjour. Je voudrais parler à madame Laulan, s'il vous plaît.
La standardiste. – Pardon ? Qui ? Pouvez-vous épeler ?
C. L. – L.A.U.L.A.N, Véronique Laulan.
La standardiste. – C'est de la part de qui ?
C. L. – Camille, Camille Lebreton.
La standardiste. – Ne quittez pas.

Véronique Laulan. – Allô, oui. C'est toi, Camille ?
C. – Oui, je suis dans le train. Je téléphone avec mon nouveau portable.
V. – Allô, je n'entends pas.
C. – Moi, je t'entends.
V. – Dis-donc, pour un nouveau portable, c'est pas extraordinaire !
C. – J'étais dans un tunnel.
V. – Ah bon. Alors, ta promotion, ça y est ?
C. – Oui, je suis directrice du service après-vente !
V. – Bravo ! Félicitations !

4. **Écoutez à nouveau et dites.**

1. Camille téléphone : ❑ à une amie ❑ à un service après-vente ❑ à la gare

2. L'amie de Camille est : ❑ à la maison ❑ au bureau ❑ dans la rue

DANS VOTRE LANGUE, COMMENT VOUS DEMANDEZ QUELQU'UN AU TÉLÉPHONE ? ET POUR FÉLICITER QUELQU'UN ?

Bayan Laulan ile görüşmek istiyordum

Tebrikler *

* En Turc :
– Je voudrais parler à madame Laulan, s'il vous plaît.
– Félicitations !

5. **Écoutez encore, une partie à la fois. Trouvez les bonnes réponses.**

1. Camille ne fait pas le bon numéro la première fois.

2. *Ah, zut !* signifie que Camille est irritée.

3. Elle demande à la standardiste à parler à Véronique.

4. Camille ne s'identifie pas.

5. La standardiste demande à Camille d'épeler le nom de Véronique.

6. Véronique n'est pas là.

7. Camille a un vieux portable.

8. La communication dans le train est dérangée.

9. Véronique félicite Camille pour sa promotion.

6. **D'après vous ?**

1. C'est un passage sous terre, sous une montagne, utilisé par les trains, par les voitures. C'est un … .

2. La promotion de Camille concerne :
   ❑ la nomination à un poste plus important
   ❑ la fin d'un rapport de travail
   ❑ l'augmentation du salaire

Alors ?

• Pour demander à parler à Véronique, Camille dit : …
• Pour demander l'identité de Camille, la standardiste dit : …
• Pour demander à Camille d'épeler le nom de Véronique, la standardiste dit : …
• Pour féliciter Camille, Véronique dit : …
• Écoutez à nouveau et jouez la conversation à trois.

Voici des mots... pour communiquer !

Noms

la communication
l'appel (m.)
le SMS (sigle de...)
le répondeur
la messagerie
le message
la sonnerie

la carte téléphonique

le (téléphone) portable

Télécarte 50

le téléphone (fixe)

la touche

le clavier

Verbes

téléphoner	écouter
appeler	entendre
répondre	couper (la communication)
sonner	

8. Reliez les noms et les verbes de la même famille d'après la liste.

Exemple :   Le téléphone ⟶ téléphoner

9. Quels mots désignent des parties du téléphone ?

❏ la touche   ❏ la carte   ❏ le clavier   ❏ le message

10. Mettez les actions dans l'ordre : 1, 2, 3, 4.

◯ Je laisse un message.

◯ Le téléphone sonne.

◯ Je fais le numéro.

◯ Il y a le répondeur.

DES RÉPLIQUES — Interagir au téléphone, féliciter

COMMUNICATION

Au téléphone :
pour demander à parler à quelqu'un, on dit :
– Je voudrais parler à madame Laulan, s'il vous plaît.
– Est-ce que Véronique est là ?
pour demander à quelqu'un de s'identifier, on dit :
– C'est de la part de qui ?
– C'est de la part de...
pour faire patienter, on dit :
– Ne quittez pas.
– Un instant / Un moment / Une minute, s'il vous plaît.

**Pour féliciter quelqu'un (pour une promotion,
un examen réussi...), on peut dire :**
– Bravo !
– Très bien !
– Félicitations !
– Compliments !

> **Quand on n'a pas bien compris,
> on peut demander d'épeler :**
> – Pouvez-vous épeler votre nom,
> s'il vous plaît ?
> – Ça s'écrit comment ?
> – Tu écris ça comment ?

11. Fabien Sagnol téléphone à son père qui travaille dans une agence de voyages.
Mettez les répliques de la conversation dans l'ordre.
Remplacez des répliques par les suivantes :

> – Ne quittez pas.
> – S'il vous plaît, est-ce que monsieur Sagnol est là ?

– Un instant, s'il vous plaît.

– C'est de la part...

– Oui, bonjour madame. Je voudrais parler à monsieur Sagnol.

– Fabien, Fabien Sagnol, son fils.

– Bonjour. Ici l'agence *Ciel et Mer*.

...

12. Complétez la conversation.

Charlotte téléphone à Tamima : elle vient d'avoir son diplôme de Master en commerce international. C'est la mère de Tamima qui répond.

CHARLOTTE. – Allô, bonjour madame. C'est ... . Est-ce que ... ?

MÈRE DE TAMIMA. – Oui, elle est là. La voici.

CHARLOTTE. – Tamima, ça va ? Alors, ...

DES FORMES — (Qui, que)

> **Vous avez déjà rencontré qui et que :** *C'est la mère de Tamima* **qui** *répond.*
> *Le numéro* **que** *vous avez appelé…*
> **Qui renvoie à un nom sujet, comme le pronom personnel il/elle, ils/elles.**
> **Que renvoie à un nom objet, comme le/la, les.**
> *Le 181 ? C'est le bus qui va à Versailles.* (bus = sujet)
> *C'est le modèle de portable que je veux.* (modèle = objet)

13. **Observez les phrases.** *Qui* et *que* renvoient à un nom, lequel ?

1. Il y a quelqu'un qui sonne.
2. Le portable qui est sur la chaise, là, est à toi ?
3. J'aime bien l'eau minérale qui pétille !
4. La carte téléphonique que j'achète est très économique.
5. *Kokia Plus* ? C'est le modèle qui est à la mode en ce moment.
6. Le numéro que je viens de faire n'est plus en service. Bizarre !

14. **Complétez par** *qui* **ou** *que***.**

1. C'est la chanson … est numéro un en ce moment.
2. Cette miniature ? C'est le cadeau … Gilles m'a fait à Noël.
3. C'est la réponse … j'attends de toi !
4. Nous, on aime bien les arbres … font de l'ombre, surtout quand il fait chaud !
5. Je le trouve sympathique, ce garçon … est habillé en noir.
6. Voilà, c'est l'ordinateur … mes parents m'ont offert pour mon bac !

GRAMMAIRE

Qui et que permettent de faire entrer une phrase dans une autre phrase (on peut ainsi déterminer un nom par une phrase). Observez.
La carte téléphonique *International* dure longtemps.
La carte téléphonique *International, que j'ai achetée au café L'Auvergnat,* dure longtemps.
La carte téléphonique *International, que j'ai achetée, tu sais, au café L'Auvergnat qui se trouve au coin de la rue Cadet,* dure longtemps.

15. **Faites entrer une phrase dans une autre phrase à l'aide de** *qui, que,* **d'après le tableau précédent. Aidez-vous des suggestions pour relier les phrases.**

Exemple : Les voisins sont sympathiques. (Ils organisent l'apéritif dans la cour.)
→ Les voisins *qui organisent l'apéritif dans la cour* sont sympathiques.

1. Le portable de Camille ne fonctionne pas bien. (Elle a acheté un portable récemment.)
2. François, tu sais, a eu son Master. (Il était avec moi à la fac.)
3. L'adresse n'est pas la bonne. (J'ai une adresse.)
4. Les conseils sont toujours utiles. (Les copains donnent des conseils.)
5. La standardiste demande d'épeler. (Elle ne comprend pas le nom de Véronique.)
6. Ces portables sont chers. (Ils ont plusieurs fonctionnalités.)

UNITÉ **2** • 33

Le passé composé

> Vous connaissez déjà des formes du passé composé de quelques verbes (*Alors ?*, unité 6, niveau A1), comme *J'ai fini mon rapport, Jean-Marc est arrivé.*

16. Observez les phrases.

a. J'ai appelé Françoise.

b. Nous avons toujours dit la vérité.

c. Léa est encore rentrée tard.

d. Il a écrit une carte de vœux cette année.

e. Mes amis sont allés à la mer, en août.

f. Elle a acheté une nouvelle console de jeux.

« Nous avons toujours dit la vérité. »

GRAMMAIRE

Le passé composé est une forme du verbe constituée par l'auxiliaire **avoir** ou **être** au présent + le **participe passé**.
Il sert à exprimer un événement accompli, achevé ou passé.
Je t'ai téléphoné hier, tu sais.
Ah ! Désolé ! Martine est partie.

Au passé composé :

	Oui	Non
1. Le participe passé ne change pas. Il est toujours invariable.	❏	❏
2. Avec l'auxiliaire *être*, le participe passé s'accorde avec le sujet, comme un adjectif.	❏	❏
3. Avec l'auxiliaire *avoir*, le participe passé est invariable.	❏	❏

GRAMMAIRE

Au passé composé, avec avoir, le participe passé est invariable :
Jules a appelé.
Marie a appelé.

Avec être, le participe passé s'accorde avec le sujet, comme un adjectif :
Ils sont partis.
Elles sont revenues.

> Les verbes qui forment le passé composé avec être sont : aller, venir, arriver, partir, entrer, sortir, naître, mourir… :
> *Sonia est née le 12 juin.*
> *Deux personnes sont mortes hier dans un accident de voiture.*

17. Mettez les verbes au passé composé ou au présent, selon le sens.

1. Je ... mon article hier. (finir)

2. Tu sais, Luc et Valérie ... hier pour Shanghai. (partir)

3. Nous ... souvent l'apéritif à la terrasse de ce café. (prendre)

4. Son collègue ... en Chine, le mois dernier. (aller)

5. Les employés ... d'habitude à 18 heures. (sortir)

6. Elle ... à l'annonce le jour même. (répondre)

J'ai eu, elle a été

CONJUGAISON

Le participe passé d'avoir est eu :
J'ai eu peur.
Le participe passé d'être est été :
Elle a été professeur toute sa vie.

18. **Lisez les phrases et repérez les formes du passé composé de *être* et *avoir*. Puis répondez.**

	être	avoir	autre verbe
a. On a été content de revoir Luc.	❏	❏	❏
b. Nous avons eu une mauvaise surprise.	❏	❏	❏
c. Tu as fini ton travail ?	❏	❏	❏
d. Ses parents sont restés longtemps à l'étranger.	❏	❏	❏
e. Vous avez eu mon message ?	❏	❏	❏
f. J'ai compris la règle.	❏	❏	❏
g. Les protestations ont été nombreuses.	❏	❏	❏
h. J'ai eu de la chance !	❏	❏	❏

1. Le verbe **avoir** se conjugue au passé composé avec :   ❏ être   ❏ avoir

2. Le verbe **être** se conjugue au passé composé avec :   ❏ être   ❏ avoir

19. **Mettez les verbes au passé composé.**
Exemples :
On a du beau temps.   → On a eu du beau temps.
Il est responsable du projet. → Il a été responsable du projet.

1. J'ai une proposition de travail.

2. Nos voisins sont adorables !

3. Tu as vingt-quatre ans ?

4. La vente de portables est importante, ce mois-ci.

5. Nous sommes riches.

6. Tu as froid ?

« Vous avez eu froid ? »

DES SONS **Les sons [i] et [ij]**

> Vous connaissez le son [i], comme dans ici. En français, il y a aussi un son [ij], comme dans Camille.

20. Écoutez et cochez le son que vous entendez.

	[i]	[ij]
1.	❑	❑
2.	❑	❑
3.	❑	❑
4.	❑	❑
5.	❑	❑
6.	❑	❑

21. Écoutez et répétez.

1. Au standard, on ne comprend pas bien le nom de Camille.

2. Dans le train, il y a du bruit et la communication est dérangée.

3. Camille va annoncer une bonne nouvelle à son amie, Véronique.

4. Elle a un billet de première classe, mais le train est plein.

5. Au téléphone, Véronique félicite son amie.

6. Camille fait vraiment une belle carrière.

22. Écoutez les deux premières phrases (1 et 2) et indiquez l'accentuation des mots.
Exemple : je suis partie en va**cances** dans le sud de la **France**.

23. Écoutez à nouveau les phrases 3 à 6. Notez par / les groupes rythmiques.
Exemple : Camille / est dans le train.

Et maintenant, à vous !

24. Imaginez les échanges et jouez les conversations.

A - Monsieur Krajévitch a la grippe. Il voudrait parler à son médecin. C'est la secrétaire qui répond.

SECRÉTAIRE. – Cabinet du docteur Fauvel, bonjour.
MONSIEUR K. – Allô, bonjour.
SECRÉTAIRE. – C'est pour une consultation ?
MONSIEUR K. – Non, non, je …
SECRÉTAIRE. – …
MONSIEUR K. – …
SECRÉTAIRE. – …

B - Fabien est à l'aéroport, il téléphone à un ami, Serge, qui vient d'avoir un poste à Londres. Fabien le félicite mais la communication téléphonique est difficile.
(5 répliques).

Comprendre une émission à la radio

Viviane en ligne

25. **Écoutez et cochez les bonnes réponses.**

1. Il s'agit : ❑ d'une émission radio
   ❑ de conversations entre amis
   ❑ d'un bulletin d'informations

2. Dans cet enregistrement, on parle :
   ❑ de chansons   ❑ de villes françaises   ❑ d'un concours musical

3. Combien de personnes appellent l'animateur de l'émission ?
   ❑ Trois personnes.   ❑ Deux personnes.   ❑ Une personne.

4. Pourquoi ces personnes appellent ?

5. À quelles occasions ? ❑ La Fête de la Musique.
   ❑ Des dates importantes (pour la famille et les proches).   ❑ La Fête Nationale.

26. **Écoutez à nouveau, une partie à la fois.**
   A.
1. Qui téléphone de Sète ? ❑ Roxane.   ❑ Christiane.   ❑ Viviane.

2. Pour qui est la chanson ? ❑ Son mari.   ❑ Son fils.   ❑ Son ami.

3. Que fête-t-il ?   ❑ Son anniversaire.   ❑ Son mariage.   ❑ Son avancement.

4. Un *porte-avions* est un mot composé avec le verbe *porter* : *qui porte des avions*.
   D'après vous, c'est :   ❑ un camion   ❑ un bateau   ❑ un train

5. *Vous la dédiez à qui ?* D'après vous, *dédier* signifie :   ❑ offrir   ❑ donner   ❑ conseiller
   B.
6. L'auditeur qui téléphone s'appelle : ❑ Laurent   ❑ Florent   ❑ Clément

7. Il veut faire une surprise à qui ?

8. Pour :   ❑ sa retraite   ❑ la Sainte Dorothée   ❑ son nouvel appartement

DES LETTRES   **Les lettres i, y, ill**

> On note généralement :
> le son [i] par les lettres i, y, comme dans identité, Yves.
> le son [ij] par les lettres ill, comme dans famille.

27. **Écoutez et complétez les mots. Puis notez les mots dans le tableau.**

1. Un emplo...é   3. Les fél...citations   5. Une personne br...llante

2. Des informat...ons   4. Mon pa..s   6. Un b...llet de train

	i	y	ill
[ij]	...	...	...
[i]	...	...	...

> Les lettres i+ll notent le son [ij], mais il y a des exceptions, comme *ville* [vil] ou *mille* [mil].

Civilité

La *civilité* et la *politesse* sont des formes du comportement quotidien, nécessaires à la vie en société. Être civil ou poli veut dire, par exemple, céder sa place assise dans un bus à une personne âgée, remercier quand quelqu'un vous rend service, demander : *Comment allez-vous ?* quand on rencontre quelqu'un, proposer de l'aide à quelqu'un en difficulté... Ces comportements sont transmis dans la famille et dans la vie sociale avec les autres.

Malheureusement, ces dernières années, on pense voir beaucoup plus d'*incivilités* : insultes pour un petit incident, non respect des lieux publics, indifférence. Alors, certains pensent que l'École doit enseigner la civilité. Il faudrait faire des cours pour apprendre à dire : *Bonjour, Monsieur, Au revoir, Madame !*

Merci de me céder cette place, plus facile d'accès

[D'après « Incivilités », *Dictionnaire de l'altérité et des relations interculturelles*, p. 162-163, Armand Colin, Paris, 2004]

28. Quelle civilité ?

1. Il est question :
   - ❏ des comportements dans la vie sociale
   - ❏ des relations parents-enfants
   - ❏ des transports en commun

2. Est-ce que l'on donne des exemples de ces comportements ?

3. Où est-ce que l'on apprend à se comporter selon les normes sociales ?

4. Quelle impression a-t-on aujourd'hui ?

5. Que souhaitent certaines personnes comme solution au problème des *incivilités* ?

29. **Lisez à nouveau.**

1. Repérez les adjectifs de la même famille que *civilité* : ... et *politesse* : ...

2. Quel mot est l'opposé de *civilité* : ...

VOCABULAIRE

**Comme d'autres préfixes (faire/dé-faire ; lire/re-lire, re-lecture...),
le préfixe in- sert à composer d'autres mots à sens inverse ou négatif :**
civilité/incivilité, connu/inconnu
Devant p, b, m, ce préfixe est im- :
possible/impossible, prévu/imprévu, maturité/immaturité...
Le préfixe in(m)- marque la négation.

> Dans votre pays, quels sont les mots pour nommer le respect et la pratique des normes en société ?
>
> Y a-t-il chez vous une augmentation des petites incivilités quotidiennes ?
>
> Qu'en pensez-vous ?

Lieux de mémoire

Pour remercier, on peut aussi se souvenir.

Les plaques commémoratives racontent l'histoire. Elles se trouvent sur les façades des maisons. Elles servent à remercier des hommes célèbres, des héros, des artistes qui ont travaillé pour la société. D'autres plaques rappellent des événements importants ou curieux, comme le départ en ballon de Léon Gambetta. Dans les villes de France, on peut lire des plaques comme les suivantes :

Histoire de Paris
Départ en ballon de Gambetta

Le 7 octobre 1870 Gambetta partit en ballon de la place Saint-Pierre pour rejoindre à Tours

le gouvernement de la défense Nationale

1 GEORGES BIZET, COMPOSITEUR FRANÇAIS, A ÉCRIT ICI, EN 1875, LA MUSIQUE DE SON OPÉRA *CARMEN*.

SES CONCITOYENS RENDENT HOMMAGE À SON ART.

2 DENISE LOUVOIS, ROMANCIÈRE DE GRANDE RENOMMÉE, EST NÉE ICI, LE 25 MARS 1913.

SA VILLE LUI REND HOMMAGE.

3 Le savant *André Gavard* a mené ses recherches sur la circulation sanguine dans cette maison de 1745 à 1749.

Ses concitoyens sont reconnaissants.

4 ICI LE 28 DÉCEMBRE 1895 ONT EU LIEU LES PREMIÈRES PROJECTIONS PUBLIQUES DE LA PHOTOGRAPHIE ANIMÉE À L'AIDE DU CINÉMATOGRAPHE, APPAREIL INVENTÉ PAR LES FRÈRES LUMIÈRE

30. Lisez à nouveau les plaques et complétez le tableau.

	Plaque 1	Plaque 2	Plaque 3	Plaque 4
Nom du personnage	Georges…			
Profession / fonction exercée / situation		romancière de grande renommée		
A vécu/est né…			a mené ses…	
Indication de lieu et de temps		ici		
Phrase commémorative	Ses concitoyens			

DES FORMES | Longtemps, pendant..., de... à,

> Longtemps, pendant..., de... à, sont des mots qui servent à exprimer la durée.

31. Observez les phrases a, b, c, d et soulignez les expressions de temps.

a. Le célèbre philosophe Sacha Gérial a vécu ici pendant l'été 1903.

b. La danseuse Mireille Mamou a longtemps fréquenté ce cabaret.

c. Le peintre Fabrice Girot a créé ses tableaux les plus célèbres dans cette maison, de 1823 à 1899.

d. La chercheuse Marguerite Pinson a étudié les effets de l'apesanteur dans ce laboratoire pendant l'hiver 1967.

1. Quelle expression est la moins précise ?
2. Quelle expression est la plus précise ?

GRAMMAIRE

Longtemps (long + temps) est un adverbe. Il indique une durée longue :
Il a longtemps travaillé dans l'édition.

Pendant est une préposition suivie d'un nom. Elle indique la simultanéité :
Il faut prendre deux cachets pendant les repas.
Elle a enseigné dans ce lycée pendant toute sa vie.
Je dors pendant les voyages en train.

De... à indique une période, c'est à dire un début et une fin :
Nous sommes en Chine du 31 août au 23 septembre.
On va en vacances du 13 au 28 juillet.
Il a habité cette maison de 1958 à 1972.

32. Complétez ces extraits de plaques par *pendant..., de... à, longtemps,* selon le sens des phrases.

Exemples :

• Le célèbre musicien Gilles Rey a enseigné dans cette ville ... .
  → Le célèbre musicien Gilles Rey a enseigné dans cette ville *pendant l'hiver 1812.*
  → Le célèbre musicien Gilles Rey a enseigné dans cette ville *de 1812 à 1813.*

• Gilles Rey, architecte, a ... vécu ici.
  → Gilles Rey, architecte, a *longtemps* vécu ici.

1. Dans ce bâtiment, ont eu lieu les réunions de préparation du Sommet mondial de l'eau ... .

2. Mélina Nikopulos, cantatrice, a vécu ici ... .

3. David Grosset, champion du monde de judo, s'est ... entraîné dans ce centre sportif.

4. Sur ce circuit, ..., ont eu lieu les premiers essais de moteur à eau.

5. Le professeur Francis Castaing a enseigné dans ce lycée ... .

Et maintenant, à vous !

OLYMPE DE GOUGES
1748 - 1793
auteur de la
Déclaration des Droits
de la Femme et de la Citoyenne
- 1998 -

33. **Vous allez inventer un personnage célèbre.
Imaginez :**

1. son nom ;

2. pourquoi il/elle est célèbre.

*Germaine Brunet, sociologue de réputation internationale.../
Martin Durand, chercheur...*

34. **D'après les modèles p. 40, imaginez le texte des plaques commémoratives
suivantes.**

1. ....
Sa ville lui rend hommage.

2. ....
.... de 1876 à 1892.
Ses concitoyens reconnaissants.

3. Le 28 septembre, dans ce stade
....

35. **Choisissez ou inventez un personnage de votre pays (ou connu au niveau international) qui pourrait avoir une plaque commémorative dans une ville de France.**

❏ un/e écrivain/e   ❏ un homme politique   ❏ un artiste   ❏ un savant

- Pourquoi était-il en France ? Il a séjourné en France pendant les vacances, il a participé
  à une réunion internationale, au Championnat de...

- À quelle époque ?

- Dans quelle ville ? Marseille, Paris , Toulouse...
  La phrase finale sera donc modifiée :
  La ville de... lui rend hommage / Les Marseillais reconnaissants...

- Écrivez le texte.
  ....

36. **Inventez :**

1. la plaque à poser sur la façade du théâtre où votre acteur(trice) préféré(e) a donné
   son premier spectacle.

2. une plaque à dédier à un événement important ou curieux.

Par exemple :
- le 3 avril 2007, record de vitesse du TGV : 574,8 km/h, sur la nouvelle ligne TGV Est ;
- le 1er essai d'un objet que vous aimeriez inventer ;

...

Alors, votre français ?

COMMUNIQUER

À l'oral, je peux :

❑ interagir au téléphone, féliciter

Est-ce que Véronique est là ?
C'est de la part de… ?
Félicitations ! Bravo !

À l'écrit, je peux :

❑ écrire des plaques commémoratives

Le savant André Gavard a mené ses recherches…

GRAMMAIRE

Je sais utiliser :

Les verbes

❑ le passé composé avec avoir et être

J'ai appelé
Léa est entrée

❑ le passé composé d'être et d'avoir

J'ai eu
Elle a été

La syntaxe

❑ le préfixe in-, im-

Inconnu, impossible

❑ les prépositions
Pendant
Jusque
De… à

Pendant la promenade
Jusqu'à midi
Du matin au soir

NOTIONS ET LEXIQUE

Je sais utiliser les mots concernant :

❑ Communiquer

le téléphone (fixe, portable)
l'appel
la communication
la touche
le clavier
le message
la messagerie

téléphoner
appeler répondre
écouter
couper…

❑ Localiser dans le temps :

Pendant le voyage…

De… à
Jusqu'à…

Jouer avec les mots

En France, on aime bien jouer avec les mots quand on parle. Les mots croisés, le scrabble sont très populaires, comme les concours d'orthographe aussi. Nous vous proposons de réaliser une compétition autour des mots : c'est le jeu *Le mot le plus long.*

Première étape : établir les règles du jeu

Le principe du jeu est de composer des mots à partir de lettres tirées au sort. Par exemple, avec la suite de lettres APRROOET, on peut faire : ET, PAR, PORTE et AEROPORT. Le gagnant est celui qui utilise le plus de lettres données : c'est le mot le plus long.

Identifiez ce qu'il faut dire ou préciser dans la règle du jeu :

- la répartition des lettres à tirer au sort : 50 consonnes et 50 voyelles (environ 8 fois chaque voyelle).
- la longueur des mots à inventer (dans le jeu original, ce sont des mots de 9 lettres ; on tire donc 9 lettres au sort)
- la valeur des lettres : est-ce que *E* désigne aussi é, è, ë… / *C* désigne c et ç… ?

Deuxième étape : préparer le jeu

Rédigez collectivement le règlement, article par article, de manière simple.
Définissez :

- le rôle du présentateur : il présente les candidats, les encourage, fait respecter le temps prévu pour la réponse, déclare qui gagne, consulte le jury
- le rôle du jury (3 personnes au moins) : il décide si les mots créés sont valables
- le rôle des collaborateurs (au moins 3) : les deux qui tirent au sort dans le paquet de consonnes ou des voyelles, celui qui écrit les lettres au tableau…
- le temps pour trouver le mot (par exemple : 30 secondes)
- le score final à obtenir (10 points)

Troisième étape : vérification du scénario

- Vous pouvez faire un essai : le présentateur introduit les candidats (2 ou deux équipes de 2) ; on tire au sort celui qui commence ; le candidat désigné demande une lettre (« voyelle » ou « consonne »), le second continue (« voyelle » ou « consonne »), jusqu'au total de lettres prévu. Le collaborateur, à chaque fois, choisit dans son paquet de lettres, il lit cette lettre à haute voix et la montre à tous. On écrit les lettres au tableau dans l'ordre de leur tirage au sort.
  À la fin du temps, chaque candidat (ou paire) propose un seul mot (il l'épelle). On l'écrit au tableau. Le mot le plus long accepté par le jury fait gagner 1 point au candidat. Par exemple, avec CRFAZNISA, on fait FRANÇAIS (8 lettres) ; il reste Z.

- Maintenant, à vous de jouer ! Répartissez les rôles, désignez les candidats (2 ou 2 équipes de deux). Le gagnant est celui qui a le plus de points.

Un bon conseil : lisez donc les dictionnaires pour gagner !

Production orale

LE JEU DE RÔLE

Complétez la conversation.

Vous êtes en France et vous appelez votre directeur de thèse pour fixer un rendez-vous. Vous appelez le secrétariat de l'université où vous êtes inscrit(e). L'examinateur joue le rôle du secrétaire et du professeur.

Vous.	– ...
Le secrétaire.	– C'est de la part de qui ?
Vous.	– ...
Le secrétaire.	– Pardon, ça s'écrit comment ?
Vous.	– ...
Le secrétaire.	– Ne quittez pas.
Vous.	– Bonjour, monsieur, je m'excuse de vous déranger.
Le professeur.	– Bonjour, mademoiselle/monsieur... Votre thèse avance, j'espère.
Vous.	– ...
Le professeur.	– Vous êtes en France jusqu'à quand ?
Vous.	– ...
Le professeur.	– Alors, vendredi, à 14 h 30, dans la salle des professeurs.
Vous.	– ...
Le professeur.	– Au revoir et bon courage !

DES CONVERSATIONS (5 points)

1. Complétez la conversation entre Anne et son amie.

– Bonjour, Anne ! Comment vas-tu ? Entre, je t'en prie.
– ...
– Ce n'est pas grave. Oh, merci, j'adore les chocolats !
– ...
– Tu as fait bon voyage ?
– ...
– ...
– Non, merci, mais j'ai très soif.
– ...

2. Complétez la conversation.
Maxime Amestoy va prendre son premier emploi chez Peugeot. Il téléphone au bureau à son ami Julien (Gayot). Imaginez la conversation de Maxime en 2 moments : avec la standardiste, puis avec Julien.

Vous avez : 5 points. Très bien !
Vous avez moins de 3 points : revoyez les pages 14, 15, 16 et 30, 31, 32 du livre.

DES FORMES (3 points)

3. Complétez les phrases par le pronom personnel complément d'objet direct.

1. Je ... appelle souvent le dimanche. (ils)
2. Viens, je ... invite au restaurant ! (tu)
3. SoTraMa, bonjour. Héloïse à l'appareil. Je ... écoute. (vous)

4. Complétez par les pronoms relatifs *qui* ou *que*.

1. Regarde ! C'est l'actrice ... a joué avec Jacques Dutronc !
2. La dame ... attend le bus est ma nouvelle voisine.
3. Aujourd'hui, j'ai installé l'ordinateur ... je viens d'acheter.

Vous avez : 3 points. Très bien !
Vous avez moins de 1,5 point : revoyez les pages 18 et 34 du livre.

DES SONS ET DES LETTRES (3 points)

5. Écoutez et cochez quand vous entendez le son [ʒ].

1. ☐
2. ☐
3. ☐
4. ☐
5. ☐
6. ☐

6. Écoutez et complétez les mots.

1. Tu as un b...et de première classe ?
2. Marse...e ? C'est le prem...er port de France !
3. Tu connais cette f...e, là ?

7. Écoutez et complétez les verbes.

1. J'app...e de la gare. Tu m'entends ?
2. Nous ach...tons une nouvelle voiture, à Noël !
3. Cet enfant j...e tout par la fenêtre ! C'est pénible !

Vous avez : 3 points. Très bien !
Vous avez moins de 1,5 point : revoyez les pages 20, 21 et 36, 37 du livre.

DE L'ÉCOUTE (3 points)

8. Écoutez cette émission radio et cochez la bonne réponse.

1. C'est :
   ☐ un auditeur qui appelle
   ☐ un journaliste qui fait une interview
   ☐ un psychologue qui répond

2. Pourquoi Jean-Luc appelle ?

3. À quelle occasion ?

Vous avez : 3 points. Excellent !
Vous avez moins de 1,5 point : revoyez la page 37 du livre

9. Lisez et répondez.

1. Qui a écrit ce document ?
2. Où ?
3. À qui s'adresse-t-il ?
4. Pourquoi on l'a écrit ?
5. Quelles phrases indiquent que cette manifestation est organisée pour partager des moments avec les autres ?
6. Si l'on veut avoir d'autres informations, qu'est-ce qu'il faut faire ?

Vous avez : 3 points. Très bien !
Vous avez moins de 1,5 point : revoyez les pages 22 et 23 du livre.

DES TEXTES (3 points)

10. Écrivez une carte d'anniversaire.

Germaine et Georges Bouvet, en vacances à Malindi (Kenya), écrivent une carte d'anniversaire à leur petite fille Alexandra, qui va avoir 18 ans.

Vous avez : 3 points. Très bien !
Vous avez moins de 1,5 point : revoyez les pages 24 et 26 du livre.

SURMONTER LES DIFFICULTÉS

**Quand on apprend une langue, on peut rencontrer des difficultés.
Comment cherchez-vous à surmonter ces difficultés ?**

Répondez aux questions suivantes.

	Oui	Non
1. Avant de commencer à travailler (faire un exercice, lire un texte...), est-ce que vous avez une idée claire de ce que vous devez faire ?	❏	❏
2. Est-ce que vous êtes sûr(e)s de bien comprendre la consigne ?	❏	❏
Vous avez des doutes sur la consigne. Vous demandez à votre professeur de répéter ?	❏	❏
3. Vous connaissez vos points faibles ?	❏	❏
4. Vous ne comprenez pas un enregistrement :		
a. Vous changez de place dans la salle pour être plus près.	❏	❏
b. Vous demandez des explications à votre voisin.	❏	❏
c. Vous demandez au professeur d'enregistrer le document sur votre magnétophone et vous réécoutez l'enregistrement à la maison.	❏	❏
d. Vous pensez que ce n'est pas important.	❏	❏
5. Vous avez des difficultés à parler français en public :		
a. Vous vous entraînez à la maison avec quelqu'un de la famille.	❏	❏
b. Vous simulez une conversation devant un miroir.	❏	❏
c. Vous répétez les conversations du manuel à voix basse.	❏	❏
d. Vous relisez les conversations du manuel.	❏	❏

Alors ? vos résultats ?

Questions 1, 2 et 3 : la réponse est OUI. Pour bien apprendre, il faut savoir clairement quelles sont les tâches à réaliser.

Question 4 : les réponses a. et c. indiquent que vous réagissez de manière active à des difficultés éventuelles à comprendre à l'oral.

Question 5 : une certaine timidité à s'exprimer en langue étrangère est assez normale (peur de se tromper, d'être ridicule...).
Les réponses a. et c. sont des stratégies très utiles.

[D'après *Repères et applications IV*, Universitat Autònoma de Barcelona, Institut de Ciències de l'Educació, 2003]

MODULE **2**
Actions

Contrat d'apprentissage

UNITÉ **3** Faire et dire

(*Découvertes*) Jeunes : enquête

DES CONVERSATIONS

INTERACTION ▶ **demander de l'aide, donner des instructions**

DE L'ÉCOUTE

RÉCEPTION ORALE ▶ **comprendre un message enregistré**

DE LA LECTURE

RÉCEPTION ÉCRITE ▶ **comprendre un article d'un magazine des consommateurs**

DES TEXTES

RODUCTION ÉCRITE ▶ **écrire un règlement (d'immeuble, de parking...)**

UNITÉ **4** Faire ci ou faire ça

(*Découvertes*) Les vacances des Français

DES CONVERSATIONS

▶ **proposer quelque chose, accepter ou refuser**

DE L'ÉCOUTE

▶ **comprendre une émission de cuisine**

DE LA LECTURE

▶ **comprendre une brochure d'informations**

DES TEXTES

▶ **écrire un texte de promotion touristique**

PROJET : Célébrer la Journée des langues

Découvertes

Jeunes : enquête

LES JEUNES ET LA VIE EN SOCIÉTÉ

Le ministère français de l'éducation nationale a mené en 1995 une enquête sur les attitudes des jeunes de 15 ans par rapport à la vie en société. En 2005, on a refait la même enquête : elle montre que les jeunes sont :

- contre les discriminations raciales et sexuelles (84,5 %)
- en grande majorité, pour la liberté d'expression, le droit de vote et de grève, la solidarité nationale et internationale (77,3 %)
- préoccupés par les problèmes écologiques (80,1 %)

Ils déclarent aussi que la loi doit « protéger les personnes contre les injustices » mais 62 % pensent qu'il faut « obéir aux lois seulement si on est d'accord avec elles » (contre 42 % en 1995).

Pour ces jeunes, les règles de la vie scolaire sont peu légitimes parce qu'elles « donnent toujours raison aux adultes ». De 1995 à 2005, les jeunes sont devenus plus tolérants et plus solidaires. Mais ils ont une attitude plus libre face au rôle de la loi.

▶ VOICI LEURS RÉPONSES
À LA QUESTION : *Est-ce grave de télécharger de la musique ou des films illégalement sur Internet ?*

	Ensemble	Filles	Garçons
Très grave	10,2 %	9,8 %	22,7 %
Plutôt grave	24,6 %	28,4 %	20,5 %
Plutôt pas grave	32,4 %	36,5 %	28,3 %
Pas grave du tout	32,8 %	25,3 %	40,7 %

[D'après Notes Évaluation – D.E.P.P. – N°06.02 – août 2006 « Les attitudes à l'égard de la vie en société des élèves de fin d'école et de fin de collège » http://www.education. gouv.fr/cid3835/les-attitudes-a-l-egard-de-la-vie-en-societe-des-eleves-de-fin-d-ecole-et-de-fin-de-college.html]

1. Quelle attitude des jeunes ?

1. Il est question d'une enquête sur les adolescents de 15 ans. Elle porte sur :
   ❏ le vote des jeunes
   ❏ leur attitude face aux autres
   ❏ les règlements scolaires

2. Ce sont les résultats d'une enquête réalisée en quelle année ?

3. Sur quels sujets les jeunes ont exprimé leur avis ?

4. Quelle partie du texte résume les attitudes des jeunes dans la vie sociale ?

2. Quel rapport à la loi ?

1. Le choix des interviewés est entre :   ❏ 3 réponses   ❏ 4 réponses   ❏ 5 réponses

2. De manière générale, est-ce que les garçons et les filles ont la même idée de la gravité de télécharger illégalement ?

3. Dans quelles réponses on observe une plus grande différence ?

   ❏ La première (1re).   ❏ La deuxième (2e).

   ❏ La troisième (3e).   ❏ La quatrième (4e).

4. Combien de filles disent que « c'est très grave » ?

5. Combien de garçons disent que « ce n'est pas grave du tout » ?

Est-ce que certaines réponses vous étonnent ? Pourquoi ?

Pour vous, est-ce que c'est grave de télécharger illégalement de la musique ou des films sur Internet ?

Quelle est chez vous l'attitude générale des adultes par rapport aux jeunes ? Qu'en pensez-vous ?

Que pensez-vous de ce qu'on dit des jeunes Français ?

une mondialisation
solidaire

S'il te plaît

3. Écoutez et lisez.

Benoît vient d'emménager dans un nouvel appartement et… il doit monter des meubles. Son père va le voir.

BENOÎT. – Eh, papa, tu peux m'aider, s'il te plaît ?
LE PÈRE. – Qu'est-ce qu'il y a ?
BENOÎT. – Je n'arrive pas à monter cette bibliothèque.
LE PÈRE. – Mais on ne fait pas comme ça, voyons !
BENOÎT. – Ah bon ?
LE PÈRE. – D'abord, mets toutes les pièces par terre et regarde le dessin. D'accord ?
BENOÎT. – Déjà fait, et après ?
LE PÈRE. – Tu prends les deux parois latérales, tu vois, là… tu les fixes dans la paroi du fond. C'est bon ?
BENOÎT. – Oui, à peu près.
LE PÈRE. – Maintenant on met les taquets pour les étagères.
BENOÎT. – Les… quoi ? Les taquets ?
LE PÈRE. – C'est les trucs, là, pour poser les étagères dessus.
BENOÎT. – Drôle de mot !

> DANS VOTRE LANGUE, COMMENT VOUS DEMANDEZ DE L'AIDE ? COMMENT VOUS DONNEZ DES INSTRUCTIONS À QUELQU'UN ?

> Could you help me please?
>
> First, put all the parts on the floor, then look at… *

* En anglais : – Tu peux m'aider s'il te plaît ?
– D'abord, mets toutes les pièces par terre et regarde…

4. Écoutez encore et répondez.

1. C'est une conversation :
   ❑ entre un ouvrier et un client   ❑ entre un fils et son père   ❑ entre deux amis

2. Il est question :
   ❑ de l'achat d'un meuble   ❑ des mesures d'un meuble   ❑ du montage d'un meuble

3. Qui demande de l'aide ?   ❑ Benoît   ❑ son père

5. Trouvez les bonnes réponses.

1. Benoît n'arrive pas à soulever une bibliothèque.
2. Son père dit à Benoît comment faire.
3. Il faut d'abord monter les parois de la bibliothèque.
4. Les étagères sont fixées avec des vis.

6. Quelles répliques de la conversation correspondent aux répliques suivantes ?

– Première chose, tu ranges toutes les pièces devant toi et tu essayes de les retrouver dans le dessin. C'est bon ?

– Mais qu'est-ce que c'est qu'un… qu'un… ?

Alors ?

- Pour demander de l'aide, Benoît dit : …
- Pour donner des consignes, son père dit : …
- Pour demander le sens d'un mot, de quelque chose, Benoît dit : …
- Pour expliquer le sens d'un mot, le père dit : …
- Écoutez à nouveau et jouez la conversation à deux.

DES MOTS — Opérations manuelles

Ces deux listes concernent les mots utilisés quand on effectue des opérations manuelles.

monter/démonter
brancher/débrancher (une prise électrique)
charger/décharger
soulever
pousser
couper l'eau/l'électricité/le gaz
visser/dévisser

le mode d'emploi
le montage
le branchement (au réseau électrique, à l'arrivée d'eau)
l'installation (d'un appareil électro-ménager)
l'entretien
une vis, un clou

7. Trouvez les mots pour compléter les phrases.

1. Vous devez vous sécher les cheveux.
Vous … le sèche-cheveux à une … électrique.

2. Vous achetez une petite table chez *Sapina*.
À la maison, vous regardez le plan et vous … la table.

3. Un objet est trop lourd : vous ne … pas cet objet, vous le *poussez*.

4. Le nom *vis* se retrouve dans … .

8. Repérez dans la liste les verbes qui commencent par *dé-*.

GRAMMAIRE

Le préfixe de– placé devant un verbe (monter /démonter) ou un nom (montage/ démontage) indique souvent l'action inverse. (Voir p. 39, Unité 2, préfixe in-)

L'inverse s'exprime aussi par des verbes différents : arriver/partir, entrer/sortir…
Par contre, de + verbe n'a pas le sens inverse dans des verbes comme :
Démarrer/Détruire /Déraper…

Dans les langues que vous connaissez, y a-t-il des préfixes qui modifient le sens des mots ?

9. Dites le contraire.

Exemple : plaire / déplaire

1. … / défaire
2. Coller / …
3. Régler / …

4. … / désarmer
5. S'habiller / se …
6. … / désinformer

7. Unir / …
8. Plaire / …
9. … / découdre

DES RÉPLIQUES · Demander de l'aide, donner des instructions

COMMUNICATION

Pour demander de l'aide à quelqu'un, on dit :
– Tu peux m'aider, s'il te plaît ?
– Vous pouvez m'aider ?
– Tu pourrais faire ça ?

Après, pour indiquer à quelqu'un comment il doit faire pour réaliser une tâche, on dit :
(avec l'impératif)
– D'abord, mets toutes les pièces... et regarde le dessin...
(avec le présent)
– Tu prends les deux parois et tu les fixes...

Pour demander et expliquer le sens d'un mot, on peut dire :
– C'est quoi les taquets ?
  Que veut dire taquet ?
  Qu'est-ce que c'est un taquet ?
  Taquet, ça veut dire…
– C'est les trucs, là, pour poser les étagères dessus.
  (fonction de l'objet)

10. Observez les images et imaginez les répliques.

1. Monsieur Valéry n'arrive pas à ouvrir la porte de sa chambre d'hôtel. Il appelle la réception.
– ...
– Tout de suite, monsieur. J'envoie quelqu'un.

2. André est en train de monter une maquette de bateau. Son copain Thomas l'aide. (fixer, monter, la pièce...)
– S'il te plaît, Thomas, ...

11. Choisissez deux répliques pour compléter la conversation.

– Mais on ne fait pas comme ça !
– C'est fait ! Merci !
– Appuie fort et dévisse en même temps.
– Démonte les étagères.

– Maman, tu peux m'aider ?
– Qu'est-ce qu'il y a, chéri ?
– Je n'arrive pas à dévisser ce couvercle.
– ...
– ...

DES FORMES **Ce/cet, cette, ces**

Dans la conversation p. 52, vous avez rencontré :
Je n'arrive pas à monter cette bibliothèque.
Ce/cet, cette, ces **remplacent l'article.**
On les appelle adjectifs démonstratifs **en grammaire.**

12. Lisez et complétez le tableau.

a. **Ces** étagères sont en bois.

b. **Cet** appareil ne marche pas

c. Tu peux m'expliquer **ce** mode d'emploi ?

d. **Ces** mots sont difficiles à prononcer.

e. Elle va où, **cette** vis ?

f. **Ce** taquet se met où ?

GRAMMAIRE

Les adjectifs démonstratifs

Singulier		Pluriel	
Masculin	**Féminin**	**Masculin**	**Féminin**
...	...	...	...

Les adjectifs démonstratifs **sont utilisés pour** désigner **des** objets, **des** événements, **des** personnes proches **ou que l'on connaît :**
Ce soir, je sors. (Le soir, je sors, *indique une habitude*.)
Ces bruits sont insupportables.

Attention : on utilise cet **à la place de** ce **devant un nom masculin qui commence par ... .**

« Cet appareil ne marche pas. »

13. Complétez les phrases par *ce/cet, cette, ces*, selon le cas.

1. ... année, le froid est arrivé tôt.

2. ... article est bien écrit.

3. ... numéro de téléphone n'est plus en service.

4. Il faut monter tous ... meubles ? Oh ! là, là !

5. Avec ... portable, on peut se connecter à Internet.

6. ... instructions ne sont pas claires, je trouve.

14. Remplacez les mots en italique par le bon mot :

gens, séries, veste, semaine, immeuble, bureau, chansons
Exemple : Ah, non ! Je n'achète pas ces *chaussures*. → Ah, non ! Je n'achète pas *cette veste*.

1. Il y a eu des orages cet *été* dans la région.

2. Tu vois encore ce *garçon* ? Ah !

3. Je regarde toujours ces *émissions* de la nuit. Ça m'amuse !

4. J'habite dans cette *maison*, là, tu vois ?

5. J'aime bien cette *musique* !

6. Il faut soulever cette *table* ? Impossible !

Le verbe voir

Vous connaissez certaines formes du verbe voir : tu vois, (nous) voyons.
Voici la conjugaison complète au présent.

15. Lisez et répondez.

CONJUGAISON

Voir			
Présent	Je vois	Nous voyons	
	Tu vois	Vous voyez	
	Il/Elle voit	Ils/Elles voient	
Impératif	Vois	Voyons	Voyez
Participe passé	Vu		
Passé composé	J'ai vu		

Au présent et à l'impératif, les bases de *voir* sont :   vo-   voi-   voy-   v-
Les formes qui sont prononcées de la même manière sont : ...

16. Complétez par *voir*, au présent.

1. Nous ... Emma, cet après-midi.

2. Ils ne ... pas l'intérêt de cette rencontre.

3. On ... tout ça demain. Assez pour aujourd'hui !

4. Qu'est-ce que tu ... ? Moi, rien.

5. Je ... toujours le chat des voisins dans
   la cour.

6. Vous ... quoi, au fait ?

17. Complétez par la bonne forme de *voir*, d'après les indications.

1. Est-ce que tu ... le nouvel appartement de Benoît ? (passé composé)

2. Tu sais, Élodie ... le directeur demain. (présent)

3. Tu ... bien que ce n'est pas facile ! (présent)

4. Qu'est-ce que vous ... au cinéma samedi ? (passé composé)

5. ... ensemble quel est le problème. (impératif, nous)

6. Vous ... où est la mairie ? La poste, c'est à côté. (présent)

Envoyer, appuyer

| Les verbes à l'infinitif en -oyer, -uyer s'écrivent avec un i (et non un y) dans certaines formes conjuguées.

18. Écoutez et observez.

Exemple : Envoie tout de suite un SMS à Éric s'il te plait.

a. J'envoie des méls.

b. Tu appuies sur cette touche.

c. Nous envoyons Luc te chercher.

d. N'appuyez pas trop fort !

e. Ils nettoient le trottoir.

f. Tiens ! Le chien aboie.

« N'appuyez pas trop fort. »

Y devient i :	Oui	Non
- dans toutes les formes du singulier.	❑	❑
- dans les formes qui ont une terminaison muette.	❑	❑
- dans toutes les formes du pluriel.	❑	❑

CONJUGAISON

Dans les verbes comme envoyer, appuyer, **le son [i] note i (et non y) devant** e, es, ent **(terminaisons muettes) :**
Tu nettoies ta voiture ?
Appuie sur étoile.

Envoyer	Appuyer
J'envoies	J'appuie
Tu envoies	Tu appuies
Il/Elle envoie	Il/Elle appuie
Nous envoyons	Nous appuyons
Vous envoyez	Vous appuyez
Ils/Elles envoient	Ils/Elles envoient

19. Conjuguez les verbes d'après les indications.

1. envoyer la facture à quelle adresse ? (présent, je)

2. appuyer sur la touche *ctrl* (impératif, tu)

3. envoyer nos enfants à l'école du quartier (présent, nous)

4. aboyer toute la nuit ! (présent, les chiens du voisin)

DES SONS | Les sons [b] et [v]

En français, il y a le son [b], comme Benoît, et le son [v], comme voir.

20. Écoutez à nouveau la conversation p. 52. Cochez quand vous entendez les sons [b] et [v].

	[b]	[v]
1.	❏	❏
2.	❏	❏
3.	❏	❏
4.	❏	❏
5.	❏	❏
6.	❏	❏
7.	❏	❏

21. Écoutez ces paires de mots et cochez le son [b].

	[b]	[b]
1.	❏	❏
2.	❏	❏
3.	❏	❏
4.	❏	❏

22. Écoutez et notez par / les groupes rythmiques dans les phrases.

Exemple : Aujourd'hui, / il a fait beau.

1. Hier, Benoît devait monter un meuble.
2. Son père est allé le voir.
3. Ensemble, ils ont réussi à monter la bibliothèque.
4. Elle est en bois.
5. Elle va très bien dans le bureau de Benoît.

23. Écoutez à nouveau, vérifiez que vous avez bien repéré les groupes rythmiques et répétez. Attention à la prononciation et à l'intonation !

Et maintenant, à vous !

24. Imaginez et jouez les conversations.

A - L'ordinateur de Christophe est bloqué : la souris ne répond pas. Il demande de l'aide à Fanny, sa collègue. Suggestions : appuyer sur les touches *Contrôle - Alt - Supprimer*.

B - Vous expliquez à un ami comment faire la mayonnaise. Suggestions : d'abord, une petite cuillerée de moutarde, une pincée de sel et les jaunes d'œuf puis de l'huile, petit à petit, et à la fin, quelques gouttes de vinaigre et du poivre.

Comprendre un message enregistré

Appuyez sur la touche étoile

25. **Écoutez et trouvez les bonnes réponses.**

1. C'est :
   - ❑ une conversation
   - ❑ le répondeur téléphonique d'une personne
   - ❑ un message enregistré

2. Il s'agit d'un service :
   - ❑ de la mairie
   - ❑ de la Police
   - ❑ de la gare

26. **Écoutez à nouveau.**

1. On donne des informations sur :
   - ❑ des documents à obtenir
   - ❑ sur les heures d'ouverture du service
   - ❑ sur les enquêtes en cours

2. Pour avoir les informations,
   - ❑ on parle directement avec un employé
   - ❑ on doit appuyer sur une touche
   - ❑ il faut faire une demande écrite

3. Quel numéro on tape pour un passeport ?...

4. Et pour un permis de conduire ?...

5. On veut écouter encore le message, on tape :
   - ❑ ✳ étoile   ou   ❑ # dièse ?

6. Comment commence l'enregistrement ?
   Bonjour .... *de Police.*

7. Quand on est au volant d'une voiture, *on conduit*. La personne qui conduit est le *conducteur*.
   Alors, que signifie *permis de conduire* ?

> **La préfecture de Police est le service administratif de la Police.**
> **On obtient aussi des papiers (carte d'identité, certificats de naissance, etc.) à la mairie.**
>
> **Chez vous, d'habitude, quels documents ont les personnes sur elles ?**
> **Quel est le nom de ces papiers, leur rôle ?**

DES LETTRES   **Les lettres b et v**

En français, la lettre b note le son [b] : bon. La lettre v note le son [v] : véhicule.

27. **Écoutez et complétez les mots. Puis notez les mots dans le tableau.**

1. ...ienvenue   4. ...isser

2. ...loquer   5. ...rancher

3. ...oir   6. ...enir

	b	v
[b]	...	...
[v]	...	...

28. **Voici le texte enregistré de la messagerie d'une société de surveillance. Lisez et écrivez les mots manquants.**

... sur la messagerie de *Bullservice*. Si ... système d'alarme est en panne, tapez 1.
Si vous ... oublié votre code, tapez 2. Si vous avez ... d'autres informations, tapez 3.
Un technicien va ... répondre. L'attente ... est de 2 minutes maximum.

Côté jardin

Les relations avec les voisins peuvent être simples ou compliquées. Par exemple, en France, la loi permet de planter ce qu'on veut dans son jardin : des pins, des cerisiers, des pommiers. Mais il faut respecter les distances réglementaires entre ses arbres et la propriété du voisin (2 mètres en général).

Attention aux problèmes ! Les arbres peuvent provoquer des dommages : humidité, racines qui passent de l'autre côté, ombre.

Voici ce que dit la loi :

■ Les racines

Les racines d'un arbre de votre jardin endommagent le mur de séparation ?
Votre voisin a le droit de couper ces racines à la limite de sa propriété.

■ Les branches

Les branches de vos arbres font de l'ombre chez le voisin ?
Il a le droit de vous demander de les couper.

■ Les fruits

Vos pommes poussent sur les branches de votre arbre. C'est toujours vous le propriétaire de ces fruits. Mais si les pommes tombent par terre, alors c'est votre voisin qui va les manger.

Voilà comment rester bons voisins ! ■

[D'après *Que choisir*, numéro spécial, p. 83-84, septembre 2006]

29. **Lisez le texte et répondez.**

1. D'après vous, il s'agit :
   ❏ d'un texte de loi
   ❏ d'un article d'un magazine
   ❏ du règlement d'une résidence

2. On parle :
   ❏ de l'achat d'un terrain
   ❏ de normes à respecter dans son jardin
   ❏ de sanctions pour les propriétaires d'un jardin

3. Les parties de l'arbre qui peuvent provoquer des problèmes avec le voisin sont : ....

4. Quand les branches d'un arbre font de l'ombre chez le voisin, qu'est-ce qu'il peut faire ?

5. Le mot *lumière* s'oppose à *ombre*. Qu'est ce que ça veut dire *ombre* ?

6. La partie de l'arbre qui est sous terre, c'est : ...

7. Quand les fruits tombent chez votre voisin, qu'est-ce qu'il peut faire ?

8. Dans le texte, les verbes équivalents à « causer des dégradations » sont :
   ... *des dommages* et ...

30. **Répondez.**

1. Quels sont les noms d'arbres cités dans le texte ?

2. Quels arbres sont des arbres fruitiers (= qui font des fruits) ?

VOCABULAIRE

**Le nom d'un fruit + le suffixe –ier
(plus rarement, -er)
servent à former le nom des arbres fruitiers :**
la cerise → le cerisier
la poire → le poirier
la pomme → le pommier
l'orange → l'oranger

**Les arbres, en général, sont masculins ;
les fruits, féminins.**

3. Comment s'appelle alors l'arbre qui produit les abricots ?...

Aux habitants du 21

31. Lisez ce règlement d'immeuble et répondez aux questions.

RÈGLEMENT DE L'IMMEUBLE DU 21, RUE SAINTE-CLOTHILDE, STRASBOURG

Aux habitants du 21 rue Sainte-Clothilde.

1 On doit bien fermer la porte d'entrée de l'immeuble.

2 Il faut éviter de faire du bruit après 22 h 00 (article R 623 du Code pénal).

3 Il ne faut pas laisser de vélos dans l'entrée de l'immeuble.

4 On doit déposer les sacs à ordures dans le local prévu à cet effet. La poubelle verte est pour les déchets ménagers, la poubelle jaune pour le papier, le plastique, les boîtes de conserve…

5 Il ne faut jamais secouer les tapis par les fenêtres avant 10 h 00.

Merci à tous et à toutes.

Le conseil syndical

1. À qui s'adresse ce texte ?

2. Dans ce texte :
   ❏ on donne des conseils   ❏ on établit des règles   ❏ on fait des propositions

3. Quelles formes verbales utilise-t-on après *On doit…*

4. Toutes ces formes sont suivies d'un autre verbe :
   ❏ à l'infinitif   ❏ au présent   ❏ au passé composé

5. Complétez :
   Dans le texte le mot équivalent à *bicyclettes* est … .
   Les ordures sont les bouteilles vides, les cartons, les papiers…
   L'autre mot du texte équivalent à *ordures*, c'est … .

6. La poubelle est un récipient où l'on jette … .

7. On le met par terre, dans la maison et on le secoue pour faire partir la poussière, c'est … .

32. Au 3 de la rue de Chanzy, à Dunkerque, les propriétaires viennent de faire construire un parking couvert. Écrivez le début d'un règlement du parking, à partir des suggestions :

allumer les feux / ne pas klaxonner / rouler à 10km/h au maximum

**Aux propriétaires
du parking
...**

DES FORMES **Du, de la (de l'), des / De**

Vous connaissez déjà les articles le/la (l'), les et un/une, des.
Voici une troisième série d'articles : du/de la (de l'), des, comme dans :
il faut éviter de faire **du** bruit.

GRAMMAIRE

Des a la valeur de quelques, plusieurs.
Du (de la, de l') indique une quantité massive de quelque chose que l'on ne peut pas compter :
Tu as bien du courage.
Il faut de l'eau.

Ces articles, dits partitifs en grammaire, donnent une indication de quantité globale, alors que le ou un indiquent une quantité unique.
Exemples :

Quantité unique | **Quantité globale**
Tu entends le bruit du moteur ? | Tu fais du bruit. Arrête !
J'entends un bruit bizarre. | J'entends des bruits.

Quand la phrase est négative, du/de la (de l'), des prennent la forme de.
Il ne faut pas laisser de vélos dans l'entrée.

---

33. Complétez par l'article *du/de la (de l')*, *des*, à l'aide des suggestions :
verre (m.), invités (m.), fumée (f.), objets (m.), bruit (m.), vélos (m.), mobylettes (f.).

1. Quand vous recevez ..., évitez de déranger les voisins.

2. Si vous avez ... à jeter, utilisez la poubelle rouge pour le recyclage.

3. Il faut éviter de laisser ... de grandes dimensions dans la cour.

4. Quand vous voyez ... , appelez les pompiers tout de suite.

5. Il est interdit de faire ... après 22 h 00.

6. Si vous avez ... ou ... , rangez-les dans le local prévu à cette fin.

34. Mettez à la forme négative.

1. Je fais des fêtes chez moi.

2. Il y a du retard dans les travaux.

3. Il y a des règles à respecter.

4. On a de l'argent, en ce moment.

5. Nous avons des accords précis avec nos interlocuteurs.

6. Dans la cour, il y a de la place pour les bicyclettes.

Et maintenant, à vous !

35. **Vous êtes résidents d'un centre universitaire. Élaborez un nouveau règlement avec les autres pour organiser la vie commune. Aidez-vous des suggestions :**

rentrer avant 1 h 00 du matin / veiller à la propreté des espaces communs (salle Internet/ salon télé/douches/couloirs...) / interdit de suspendre du linge aux fenêtres...

Aux résidents du centre universitaire

1. Il ne faut pas...

36. **Imaginez le règlement à afficher sur la porte de votre chambre (pour votre famille), de votre comité d'entreprise (pour vos collègues).**

...

VOICE MAIL SYSTEM INSTRUCTIONS

The hotel provides a voice mail system for your caller to leave a message when you are not in the room. If the red light on your telephone is on, you will be able to listen to your voice mail message by phone or please contact the Concierge for written messages.

To listen to your message :

1. Press 5000 Voice will ask you to press your mail box number please enter your room number.

2. Voice will inform you how many new messages and how many old messages are recorder.

3. Voice will ask you to press 1 to listen, press 2 to record the message or press 3 to delete the message.

คำแนะนำระบบฝากข้อความ

เมื่อท่านได้รับสัญญาณไฟบนเครื่องโทรศัพท์ ท่านสามารถฟัง ข้อความได้ทางโทรศัพท์ดังนี้

1. กด 5000 เพื่อเข้าสู่ระบบ ระบบจะแจ้งให้ท่านกดหมายเลข mail box ให้ท่านกดหมายเลขห้องของท่าน

2. ระบบจะแจ้งให้ทราบว่ามีข้อความฝากไว้จำนวนกี่ข้อความ และมีข้อความที่บันทึกเก็บไว้จำนวนกี่ข้อความ

3. หลังจากนั้นจะแจ้งให้ท่านเลือกฟังข้อความโดยกด 1 เพื่อฟังข้อความที่บันทึกไว้หลังจากท่านได้ฟังข้อความแล้ว กรุณากด 3 เพื่อลบออก

****

Alors, votre français ?

COMMUNIQUER

À l'oral, je peux :

❏ demander de l'aide,   *Tu peux m'aider, s'il te plaît ?*
donner des instructions   *Tu prends les deux parois et…*

À l'écrit, je peux :

❏ écrire un règlement   *Il faut éviter de…*
d'immeuble, de parking…

GRAMMAIRE

Je sais utiliser :

Les verbes

❏ voir au présent,   *Je vois*
à l'impératif,   *Voyons*
au participe passé   *J'ai vu*

❏ en -oyer, -uyer   *J'envoie, vous appuyez*

La syntaxe

❏ les adjectifs   *ce soir, cet homme, cette maison, ces bruits*
démonstratifs
ce, cette, ces

❏ le préfixe de- :   *Décharger*

❏ les articles
l'article partitif *du,*   *Tu fais du bruit.*
de la (*de l'*)*, des, de,*   *Il ne faut pas laisser de vélos dans le hall.*
dans une phrase négative

NOTIONS ET LEXIQUE

Je sais utiliser les mots concernant :

❏ les opérations manuelles
monter - démonter
brancher - débrancher
charger - décharger…
le montage
le branchement…
le mode d'emploi
l'installation
l'entretien
…

Découvertes

Les vacances des Français

Les Français, champions du monde des vacances !

La France est la 5e puissance industrielle dans le monde et c'est aussi un pays où la productivité au travail est très élevée. Mais c'est aussi le pays où l'on a le plus de jours de vacances : 35 de congés + 9 jours de réduction du temps de travail (RTT), en moyenne, grâce à l'adoption de la loi qui fixe à 35 heures le travail par semaine. Au total, 44 jours de vacances : 4 jours de plus que l'Allemagne et 20 de plus qu'aux États- Unis !

Les jours fériés

Et les Français aiment les vacances. Depuis 10 ans, 60 % des Français partent en vacances chaque année. Les séjours sont plus courts, mais plus nombreux surtout en mai et en juin, car ce sont des périodes avec beaucoup de jours fériés : le 1er mai (Fête internationale du travail), le 8 mai (Armistice de 1945), l'Ascension et la Pentecôte qui sont des fêtes religieuses.

Les lieux de vacances

Les Français passent 8 séjours sur 10 en famille, pour se retrouver et se reposer. Mais en été, les plages de la Méditerranée sont très appréciées. Les voyages vers les autres continents se font plus souvent pendant l'hiver.

Voici le résultat d'une étude sur le type de vacances que les Français voudraient passer.

Les vacances rêvées des Français sont :

1. Un hôtel 5 étoiles sur une île du Pacifique **(48 %)**

2. Des vacances bien-être, comme une thalassothérapie **(46 %)**

3. En amoureux sur une plage de sable fin **(42 %)**

[D'après www.lefigaro.fr/eco/ : *L'actualité économique*, 8 mai 2006 et *données INSEE*]

1. Quelles activités ?

1. On parle :
   ❏ des vacances scolaires
   ❏ d'une rencontre sportive
   ❏ du travail et des vacances

1er paragraphe

2. Quelle est la place de la France comme puissance industrielle ?

3. Combien de jours de congés y a-t-il en moyenne en France ?

4. Par rapport aux États-Unis, combien de plus ?

2e paragraphe

5. En pourcentage, combien de Français partent en vacances ?

6. Pendant quelle période de l'année est-ce qu'il y a beaucoup de jours fériés ?

3e paragraphe

7. Où est-ce que les Français passent leurs vacances et quand ?

8. Si les Français ont beaucoup de vacances, alors que signifie *jours fériés* ?

   Repérez l'autre mot équivalent à *jours fériés* : jours ...

2. Lisez les résultats d'une étude sur les vacances rêvée des français.

Quelles sont les vacances rêvées par 48 % des Français ?

Chez vous, on part
en vacances ?

Quelles sont les destinations
préférées ?

Que pensez-vous de
cet intérêt des Français
pour les vacances ?

Comment jugez-vous cela ?

DES CONVERSATIONS

Proposer quelque chose, accepter ou refuser

On va quelque part ?

3. **Écoutez et lisez.**

CLARA. — Qu'est-ce qu'on fait pour le week-end de la Pentecôte ? On va quelque part ?

HELMUT. — Je ne sais pas. Tu as une idée ?

CLARA. — Je pensais à Bruxelles, non ? Il y a le Thalys, c'est rapide.

HELMUT. — Pardon ? Le quoi ?

CLARA. — Mais oui, tu sais, le TGV qui va en Belgique.

HELMUT. — Ah, non ! Bruxelles, je connais déjà.

CLARA. — Et tu proposes quoi, alors ?

HELMUT. — Je ne sais pas, moi, on pourrait aller à Deauville, par exemple. S'il y a du soleil, c'est très beau !

CLARA. — Si on veut, mais la mer est froide ! Et puis, c'est trop snob !

HELMUT. — Bon, on peut aller à Fribourg, chez mes parents, alors.

CLARA. — Euh…

DANS VOTRE LANGUE, COMMENT VOUS VOUS COMPORTEZ POUR PROPOSER À QUELQU'UN DE FAIRE QUELQUE CHOSE (ENSEMBLE) ?

– Zullen vij ergens gaan ?
– Ya, graag ! *

* En néerlandais : – On va quelque part ?
– Avec plaisir !

4. **Écoutez encore et répondez.**

1. Clara et Helmut sont :
   ❏ deux amis
   ❏ un couple
   ❏ deux voisins

2. Il est question :
   ❏ de passer un week-end quelque part
   ❏ d'inviter les parents
   ❏ de passer les vacances à la mer

3. Qui propose en premier ?
   ❏ Clara.
   ❏ Helmut.

5. **Trouvez les bonnes réponses.**

1. Helmut propose d'aller à Bruxelles.

2. Clara dit que c'est rapide avec le TGV Thalys.

3. Lui, il voudrait aller à Deauville.

4. Elle dit que Deauville est trop loin.

5. Il propose d'aller voir ses parents.

6. Clara accepte la proposition avec enthousiasme.

6. **Quelles répliques de la conversation correspondent aux répliques suivantes ?**

– Chéri, on a trois jours de vacances fin mai. Nous pourrions faire un voyage, pas trop loin.

– Oui, si tu veux. Mais où ?

Alors ?

• Pour proposer de faire quelque chose :
Clara dit : . . .
Helmut dit : . . .

• Pour refuser une proposition :
Helmut dit : . . .
Clara dit : . . .

• Pour dire qu'il ne comprend pas un mot,
Helmut dit : . . .

• Écoutez à nouveau et jouez la conversation à deux.

DES MOTS　　　　**Loisirs, distractions**

Voici des mots pour les loisirs et la détente :

Noms

le jeu

la lecture

le spectacle

la danse

la photographie

l'art (m.)

la peinture

la sortie

le musée

l'exposition

la visite

le voyage

le tourisme

le touriste

la promenade

la cuisine

le sport

le cirque

Verbes

faire du sport (vélo, football…)

danser, chanter, dessiner, lire…

cuisiner, écrire, peindre…

voyager, se promener…

jouer au /à la… (au foot, à la roulette, aux cartes, aux échecs…)

jouer de (de la guitare, du violon, du piano…)

7. Dans les deux listes, associez les mots de la même famille.

Exemple : le jeu → jouer à/de

8. Quel nom de la première liste correspond à cette définition ?

Le spectacle où se produisent des acrobates, des clowns, des animaux : …

9. Trouvez les intrus !

• la peinture　　• le voyage　　• l'exposition　　• le film　　• la promenade

• la déclaration　　• la sortie　　• l'achat　　• le rapport

• la bibliothèque　　• le supermarché

DES RÉPLIQUES Proposer à quelqu'un de faire quelque chose ensemble

COMMUNICATION

Pour proposer à quelqu'un de faire quelque chose, on dit :
– On va quelque part ? /On sort ?
– On peut aller chez mes parents.
– Si tu veux, on va au cinéma.
ou avec le conditionnel :
– On pourrait aller au restaurant ce soir.
– Nous pourrions /On pourrait faire une promenade.

Accepter ou refuser la proposition

COMMUNICATION

Pour accepter la proposition, on peut dire :
– Oui. / D'accord ! / Avec plaisir !
– Super ! / OK !
Si l'on hésite, on peut dire :
– Oui, mais... / Pourquoi pas. / Si tu veux...
– Peut-être. / On va voir. / Je ne sais pas.
Si l'on refuse, on peut dire :
– Non (merci).
– Désolé(e) / Je suis désolé(e), mais...
– Je regrette.
– Je ne peux pas.
– (C'est) impossible ! / Ce n'est pas possible !

> **Quand on ne comprend pas, on peut dire :**
> — Pardon ?
> — Comment ?
> — Je ne comprends pas.
> — Vous pouvez/Tu peux répéter ?

10. **Observez les images et complétez la conversation.**

Juliette ne comprend pas tout de suite la proposition de son amie. Elle refuse car elle doit partir en voyage.

– Juliette, c'est Emma. Dis, on va voir l'exposition Botero dimanche ?
– ...

11. **Choisissez deux répliques pour compléter la conversation.**

On sort ?

Si tu veux, on peut aller au cinéma.

Oui, mais...

Super !

RACHIDA. – ...
SÉVERIN. – ...
RACHIDA. – On pourrait aller au cinéma.
SÉVERIN. – Je ne sais pas.
RACHIDA. – Tu ne veux jamais rien faire !

DES FORMES | **S'il y a du soleil...**

Le titre « S'il y a du soleil » reprend une réplique d'Helmut de la conversation, p. 68.

12. Observez ces phrases et répondez.

a. S'il fait beau, je rentre à pied
b. Si tu vas chez tes parents, moi, je reste là.
c. Si nous prenons le Thalys, nous sommes à Bruxelles en une heure et demie.
d. Si tout le monde part en week-end, la circulation va être difficile.

1. *Si* introduit : ❑ l'hypothèse, la condition ❑ la nécessité ❑ la volonté, l'obligation
2. Le verbe de la première phrase est au ... .
3. Le verbe de la seconde phrase est au ... (ou au futur proche).

GRAMMAIRE

La préposition si, suivie du verbe à l'indicatif présent, introduit une hypothèse, une supposition, une condition.

La phrase principale peut être au présent et au futur.
Si tu pars à Deauville, je viens aussi.
Si le train a du retard, on va manquer notre correspondance pour Fribourg.

13. Exprimez l'hypothèse et la condition avec *si*.

Exemple : pleuvoir / rester à la maison (nous) → *S'il pleut, nous restons à la maison.*

1. ne pas comprendre (tu) / demander de répéter (tu)
2. être bons (les résultats) / fêter ça (nous)
3. interdire la circulation automobile en ville (on) / la pollution baisser
4. inviter Camille au cinéma (tu) / venir aussi (son frère).
5. insister (vous) / accepte votre proposition (je)
6. se sentir bien (tu) / aller faire une promenade sur la plage (nous)

GRAMMAIRE

Sinon..., ou...
On peut exprimer l'hypothèse à l'aide de ou et sinon (si + non) :
Partez maintenant ou vous allez avoir du retard.
(= Si vous ne partez pas maintenant, vous allez avoir du retard.)
Tu dois te dépêcher, sinon tu vas arriver en retard à la gare.
(= Si tu ne te dépêches pas, tu arrives en retard à la gare.)

Avec *sinon* et *ou*, la phrase
qui exprime l'hypothèse est :
❑ à la forme affirmative
❑ à la forme négative

« Si tout le monde
part en week-end,
la circulation
va être difficile ! »

14. Exprimez l'hypothèse avec *si* (1 à 3), *ou* et *sinon* (4 à 6).

Exemple : Mangez ou vous allez avoir faim plus tard.
→ *Si vous ne mangez pas*, vous allez avoir faim plus tard.

1. Tu travailles correctement ou tu arrêtes tes études.
2. J'accompagne Fred au concert, sinon il ne va pas être content.
3. En mai, nous allons une semaine sur une île dans le Pacifique ou nous n'allons pas avoir une autre occasion.
4. Si tu ne relis pas bien ton texte, le service de communication va te faire des reproches.
5. Si vous n'avez pas quelque chose à proposer, vous écoutez les autres propositions.
6. Si Helmut ne renonce pas à aller à Fribourg, Clara restera seule à la maison.

Sortir, partir

Vous avez déjà rencontré les verbes comme sortir, partir, dormir... :
On sort ?, Nous partons demain.
Voici leur conjugaison.

CONJUGAISON

Sortir		
présent	Je sors Tu sors Il/Elle sort	Nous sortons Vous sortez Ils/Elles sortent
Impératif	Sors	Sortons	Sortez
Participe passé	Sorti(e)		
Passé composé	Je suis sorti(e)...		

Au présent et à l'impératif, les bases sont :

❑ so-   ❑ sor   ❑ s   ❑ sort ?

15. Complétez le présent de *partir* et le passé composé de *dormir*.

CONJUGAISON

Partir		Dormir	
présent	Je pars ... ... Nous partons	**Passé composé**	J'ai dormi ... ...

16. Conjuguez les verbes, d'après les indications.

1. C'est déjà dimanche ! Nous ... dans trois jours. (partir, présent)
2. Il est dix heures. Tu ... beaucoup en ce moment ! (dormir, présent)
3. Les enfants, ... de là, c'est dangereux ! (sortir, impératif, vous)
4. Moi, je vais à la campagne et toi, tu ... où, cet été ? (partir, présent)
5. Tu ... encore avec Patrice ? Mais ce n'est pas possible ! (sortir, présent)
6. Hier, je ... du bureau à neuf heures du soir ! C'est très stressant ! (sortir, passé composé)

Quelque part, quelques amis, plusieurs fois

Dans la conversation p. 68, Clara dit :
On va quelque part ? (= dans un lieu non déterminé)

GRAMMAIRE

• Au singulier
quelque est un adjectif dit « indéfini » qui se substitue à un/une.
Il souligne l'indétermination du nom :
Il a pris quelque chose et il est parti.
J'ai laissé mes clés quelque part et je ne les trouve plus.
Je ne les vois pas depuis quelque temps.
Quelque part, quelque temps, quelque chose sont des utilisations fréquentes de quelque, au singulier.

• Au pluriel
quelques s'utilise souvent à la place de des. Il exprime une petite quantité :
J'ai quelques achats à faire.
L'entretien a duré quelques minutes.
J'ai quelques mots à te dire.
Est-ce que vous avez quelques idées là-dessus ?

D'après les exemples du tableau,   Oui   Non

1. *quelque* a une forme pour le masculin et une pour le féminin   ❑   ❑
2. *quelques* a une seule forme, pour le masculin et pour le féminin ❑   ❑

17. À partir de cette grille, formez six phrases avec *quelques* + nom.

Exemples : On fait *quelques promenades* surtout pendant le week-end.
Nos amis ont fait *quelques voyages* en Asie centrale.

On	faire	exposition	...
Nos amis	voir	promenade	...
Je		spectacle	...
		voyage	...

GRAMMAIRE

Plusieurs est lui aussi un adjectif. Il exprime une idée de quantité plus importante que quelques :
Plusieurs personnes ont participé au marathon.
Je l'ai rencontré plusieurs fois, ces derniers temps.
L'agence nous a fait plusieurs propositions de voyage.
Il y a plusieurs endroits intéressants dans cette ville.

Observez les exemples du tableau et dites :   Oui   Non

1. *plusieurs* a deux formes, l'une pour le masculin pluriel,
   l'autre pour le féminin pluriel   ❑   ❑
2. *plusieurs* a une seule forme, pour le masculin et pour
   le féminin pluriel   ❑   ❑

Pour aller plus loin, voir le cahier d'exercices.

DES SONS — Le son [ʃ]

> Vous connaissez déjà le son [ʒ] : **jeune**. Il y a aussi le son [ʃ], comme : **chez**.

18. Écoutez et cochez quand vous entendez le son [ʒ] ou le son [ʃ].

	[ʒ]	[ʃ]
1.	☐	☐
2.	☐	☐
3.	☐	☐
4.	☐	☐
5.	☐	☐
6.	☐	☐

19. Écoutez et répétez.

1. Clara voudrait faire quelque chose pour la Pentecôte.
2. Charles, son mari, hésite.
3. La jeune femme trouve Deauville trop snob.
4. Charles fait une autre proposition : aller chez ses parents.
5. On a l'impression que Clara préfère rester chez elle.

20. Écoutez à nouveau et indiquez les mots avec accent (tonique). Puis relisez à haute voix : respectez les groupes rythmiques !

Exemple : Cla**ra** voudrait **faire** quelque **chose** pour la Pente**côte**.

21. Répétez à haute voix.

Chez Georges et Jeanne, il y a toujours une chambre pour chaque copain.

Et maintenant, à vous !

22. Imaginez et jouez les conversations.

A - À la fin des cours, Inès, étudiante, propose à ses amis, Roland et Mélanie, d'aller jouer au squash. Roland refuse. Inès demande pourquoi : Roland a un rendez-vous. Mélanie accepte.

B - Damien téléphone à Isabelle, sa copine. Il lui propose de sortir. Isabelle n'a pas envie (il fait froid/ elle est fatiguée/ elle a sommeil...). Damien insiste.

23. À vous !

Pour le week-end de la Toussaint, madame Auriol, directrice des ressources humaines de l'entreprise Boiseries, de Nîmes, propose au personnel la visite d'une entreprise du bois dans les Landes. Imaginez la conversation avec le représentant du personnel, M. Martinez.

Comprendre une émission de cuisine

Recette du jeudi

24. Écoutez l'enregistrement.

Il s'agit :
- ❏ d'une conversation sur les courses à faire
- ❏ d'une émission de cuisine à la radio
- ❏ d'une commande au restaurant

25. Écoutez à nouveau.

1. L'émission s'appelle :
   - ❏ *Cuisine provençale*
   - ❏ *Cuisine internationale*
   - ❏ *Cuisine régionale*

2. Le chef est : ❏ une femme ❏ un homme

3. Son prénom est : ❏ Michèle ❏ Estelle ❏ Angèle

4. On présente une spécialité : ❏ du Nord-Est ❏ du Sud-Ouest ❏ du Sud-Est

5. Il s'agit de :
   ❏ tomates à la méridionale ❏ aubergines à la provençale ❏ pommes à l'orientale

6. Les aubergines, c'est : ❏ de la viande ❏ des fruits ❏ des légumes

7. Dites le nom des ingrédients que vous entendez.
   - Poivrons • carottes • aubergines • tomates
   - pommes de terre • oignon • basilic • persil
   - ail • sucre • citron • sel • poivre
   - huile d'olive • vinaigre

> **La suite de la recette de Michèle ?**
> **La voici :**
> *Mettez les deux légumes cuits et l'ail dans une casserole avec de l'huile brûlante. Faites cuire à nouveau quelques minutes. Ajoutez le persil et servez chaud.*

DES LETTRES | **Les lettres ch**

| En français, les lettres **ch** notent le son [ʃ].

26. Écoutez et lisez. Soulignez les lettres correspondant au son [ʃ].

1. Le chef-cuisinier
2. Les aubergines
3. La chose
4. Richard
5. Le citron
6. La Provence

27. Écoutez et complétez les mots. Puis notez les mots dans le tableau.

1. Coupez le rôti en tran...es.
2. Faites une ...ose à la fois.
3. Servez froid avec des corni...ons.
4. Le restaurant ...ez Mi...èle a une belle terrasse où l'on mange l'été.
5. Les ...ampignons poussent quand il fait ...aud et humide.

	ch
[ʃ]	...

Enfants du monde UNICEF

NOTRE ACTION D'URGENCE

Urgences médiatisées ou urgences silencieuses, nous sommes présents sur tous les terrains. L'Unicef* est déjà installée dans 157 pays ou régions. Nous agissons le plus rapidement possible pour soulager et soutenir les victimes de catastrophes naturelles ou de conflits. Cette tâche est immense et nous avons besoin d'aide.

Grâce à nos donateurs, nous avons pu secourir, en 2006, les victimes des tremblements de terre au Pakistan, à Java et en Indonésie (environ 5 millions d'euros).

Mais les victimes les plus faibles dans le monde sont les enfants. Pour cela, nous avons choisi quatre urgences :

- ▶ la lutte conte le choléra
- ▶ la lutte contre la malnutrition
- ▶ l'eau et les structures d'accueil (camps de réfugiés) des populations obligées de quitter leur ville, leur pays.

FAISONS AVANCER L'HUMANITÉ !

*United Nations Children's Fund
[D'après *Les enfants du monde*, p. 6, Unicef France, www.unicef.fr, septembre 2006]

28. **Observez les photos et lisez le texte.**

1. On parle :
   ❑ de l'activité humanitaire
   ❑ des services « Urgences » de l'hôpital
   ❑ de voyages en Asie

2. Repérez le sigle de cet organisme dans le titre. Le connaissez-vous ?
   Quelle est sa signification ?

3. Le texte concerne :   ❑ l'activité de l'Unicef   ❑ les interventions d'urgence

4. Dans combien de pays cet organisme est-il présent ?

5. On donne un exemple d'intervention en 2006 :   • Où ?   • Pourquoi ?

6. Quelles sont les priorités pour aider les enfants ?

7. Quelle est le slogan de l'Unicef ?

8. Vous connaissez le mot *media*. Dans le texte, quel est l'adjectif correspondant ?
   D'après le texte, *conflit* signifie :
   ❑ rencontre
   ❑ guerre
   ❑ événement

   Nutrition vient du latin *nutrire*, en français *nourrir*, *s'alimenter*.
   Que signifie *malnutrition* ?

Connaissez-vous l'Unicef ?

Connaissez-vous d'autres organisations humanitaires ?

Entre terre, ciel et mer

Se sentir pousser des ailes

LA MANCHE
DES POUVOIRS NATURELS

www.manchetourisme.com

Imaginez... Traverser à pied la baie du Mont Saint-Michel, cheminer sur le sentier des douaniers le long des côtes de la presqu'île du Cotentin, percer les secrets du bocage et se laisser émerveiller par des paysages préservés et contrastés : quelle que soit votre envie, **La Manche** est la destination de proximité qui vous offre, en toutes saisons, la possibilité de vivre des week-ends inoubliables !

Manche Tourisme a concocté pour vous plus d'une trentaine de séjours clés en main, en partenariat avec les relais départementaux des Gîtes de France et Clévacances, et notamment :
- Des escapades pour découvrir autrement la **baie du Mont Saint-Michel** en la survolant en ULM (à partir de 64 €*) ou en montgolfière (à partir de 234,50 €*).
- Des séjours romantiques dans un ancien village de pêcheurs (à partir de 35,50 €*) ou dans un château du 13ème siècle (à partir de 149,50 €*).
- Un week-end pour partir à la découverte des étoiles sur l'**île Tatihou** (à partir de 75,20 €*).

* Prix minimum par personne en chambre double, offres soumises à conditions, valables à certaines dates en 2007, dans la limite des places disponibles - Manche Tourisme, organisme local de tourisme autorisé par arrêté préfectoral n° AU 050.04.0001.

LA MANCHE

[www.manchetourisme.com]

29. **Observez la photo, lisez le texte. Cherchez la Manche sur une carte de France.**

1. Il s'agit :
   - ❏ d'informations sur la route à prendre
   - ❏ d'un texte de promotion d'une région
   - ❏ d'un extrait d'un guide touristique

2. Qui a écrit ce texte de promotion ?

3.

a. *Se sentir pousser des ailes* signifie : se sentir léger, libre (comme un oiseau qui vole). Qu'est-ce qui donne cette impression de liberté, de légèreté ?

b. *La Manche des pouvoirs naturels* est une image qui veut souligner :
   - ❏ le pouvoir commercial
   - ❏ la richesse des paysages
   - ❏ le pouvoir politique de la région

30. Lisez à nouveau le texte, une partie à la fois.

1re partie

1. Repérez les verbes dans le document.

2. Ces verbes sont :   ❏ au présent   ❏ à l'infinitif   ❏ à l'impératif

3. Le verbe de la même famille que *chemin* (= petite route de campagne, sentier) est ... . Son utilisation est assez rare.

4. Un *secret*, il faut le découvrir. Quel verbe est utilisé ici pour découvrir ?

2e partie

5. *(Se laisser) émerveiller* contient le mot *merveille*. Cela signifie :
❏ surprendre   ❏ arrêter   ❏ convaincre

6. Le sens de *quelle que soit votre envie* est : même si vos envies sont variées. Maintenant identifiez les points forts de la Manche.

31. Complétez le tableau à l'aide des réponses précédentes.

Verbes	Traverser à pied ...
Expressions de lieu	Sur le sentier Le long des côtes ...
Slogan	Partez...

32. Observez cette photo (Ploumanac'h, en Bretagne) et lisez.

1. Pour écrire un texte touristique, complétez le texte, sur le modèle du précédent.
Suggestions : se promener, admirer, se laisser surprendre / la côte, les maisons cachées dans la verdure / la riche végétation / le parfum des fleurs...

   1re partie

   ...

   2e partie
   Entre ciel et mer, sur un petit bateau blanc au milieu du bleu, le long d'un chemin sauvage, Ploumanac'h, c'est le plein d'émotions !

2. Trouvez un slogan (avec les verbes à l'impératif).
Suggestions : Découvrir, venir admirer, se laisser émerveiller / richesses naturelles / environnement extraordinaire, site exceptionnel

3. Le long de (la côte) signifie :
❏ devant   ❏ derrière   ❏ parallèlement (à)

DES FORMES — Le long de, au sommet de...

> Dans le texte précédent vous avez rencontré des mots qui servent à localiser dans l'espace : *le long de la plage, au sommet des falaises, au cœur des marais.*

33. Observez les dessins.

1. Associez les dessins aux expressions de lieu correspondantes.

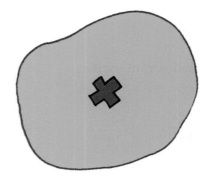
...

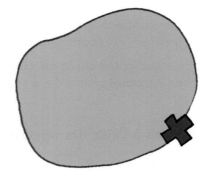
...

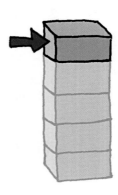
...

2. Quelles expressions sont équivalentes à :
   a. *au milieu de* :
   L'expression *au milieu de* est la plus utilisée.
   b. *au bord de* :

3. La partie la plus haute de ... : c'est :   ❑ le sommet   ❑ le cœur

34. Complétez ces expressions de lieu.

Exemple : Le long ... (le mur) → *Le long du mur*

1. Le long de ... (le trottoir), (la rue), (les maisons)

2. Au sommet de ... (la montagne), (le gratte-ciel), (les Pyrénées)

3. Au milieu de ... (la forêt), (le village)

Et maintenant, à vous !

35. Sur le modèle du document p. 78, inventez un texte de promotion touristique de votre ville/région/pays. N'oubliez pas le slogan final.

Alors, votre français ?

COMMUNIQUER

À l'oral, je peux :

❏ proposer quelque chose,   *On va quelque part ?*
accepter, refuser   *Je ne sais pas.*
    Ah, non !

À l'écrit, je peux :

❏ écrire un texte   *Traverser à pied la baie*
de promotion   *du Mont Saint-Michel...*
touristique

GRAMMAIRE

Je sais utiliser :

Les verbes

❏ *sortir, partir*   *Je sors.*
présent, impératif,   *Sors.*
passé composé   *Je suis sorti(e).*

❏ la préposition *si*   *Si tu pars à Deauville, je viens aussi.*

❏ *sinon..., ou...*   *Partez maintenant ou vous allez avoir*
    du retard.

La syntaxe

❏ les adjectifs *quelque,*   *J'ai quelques achats à faire.*
quelques, plusieurs   *Plusieurs personnes ont participé*
    au marathon.

❏ l'hypothèse (supposition,
condition)
si + indicatif   *S'il y a du soleil, c'est très beau.*
sinon/ou +indicatif   *Tu te dépêches, sinon/ou tu vas arriver*
    en retard.

NOTIONS ET LEXIQUE

Je sais utiliser les mots concernant :

❏ Les loisirs, les distractions
Noms
le jeu
la lecture
le spectacle
la danse
la photographie
l'art (m)
...
la cuisine
le sport
le cirque

Verbes
faire du sport (vélo, football...)
danser, chanter, dessiner, lire...
cuisiner, écrire, peindre
...

❏ Localisation dans l'espace :
le long de...
au sommet de...
au milieu de...
le long de la plage
au sommet de la falaise
au milieu du marais

Organiser une fête des langues

Le Conseil de l'Europe et la Commission européenne ont décidé que le 26 septembre de chaque année serait la journée des langues dans toute l'Europe. C'est une journée où l'on célèbre la diversité des langues parlées en Europe, qu'elles soient originaires d'Europe ou apportées par de nouveaux arrivants.

Vous pouvez décider, vous aussi, de fêter les langues dans votre classe ou dans votre établissement.

Première étape

Choisissez un jour/une date pour cette fête.

Deuxième étape

Dans votre groupe, cherchez quelles langues vous parlez.
Cherchez aussi dans les autres groupes ou classes, si nécessaire.

> Quelles langues parlez-vous ?

> Combien de langues sont connues au total dans la classe ?

> Connaissiez-vous certaines langues parlées par vos camarades ?

Demandez leur de dire quelques phrases ou d'écrire quelques mots si l'alphabet est différent de ceux que vous connaissez.
Cherchez des gens dans votre entourage qui parlent des langues que vous ne connaissez pas.
Quelles sont vos réactions quand vous entendez des langues inconnues ?
Si vous avez un portfolio des langues, comparez vos biographies langagières.

Troisième étape

Pour cette fête des langues, vous pouvez :
– faire écouter des chansons dans beaucoup de langues.
– lire des poèmes dans des langues différentes.
– écrire des mots comme *bonjour, oui, terre ciel et mer* ... de différentes langues sur une affiche ou créer une affiche selon votre thème choisi.
– écrire vos noms dans des alphabets ou des écritures différents.
– produire des dialogues bilingues...

Vous pouvez choisir plusieurs formes. Chaque groupe en réalise alors une. Aidez-vous de dictionnaires ou d'encyclopédies pour présenter ces langues. Demandez des informations à vos professeurs.

Et n'oubliez pas les langues régionales, les dialectes qui sont aussi des langues !

Vive les langues !

Compréhension des écrits

LIRE UNE PUBLICITÉ

Découvrez votre vraie nature.

La rivière Jacques-Cartier, au nord de la ville de Québec.

À moins de 30 minutes du centre-ville de Québec.

La ville de Québec : échelle humaine, services de haut niveau, cité patrimoniale de l'UNESCO, rythme de vie *cool*, cité universitaire, emplois valorisants, belles occasions d'affaires, maisons au coût abordable, site géographique exceptionnel, vie culturelle animée, ville sécuritaire, proximité inégalée des étendues sauvages. Quand on jouit de tous ces atouts, on prend la vie du bon côté.

Pour en savoir plus : www.mavraienature.com

  UNIVERSITÉ LAVAL PÔLE VILLE DE QUÉBEC

L'Express, Hors-Série, n°93, Avril-Mai 2007

1. Cette publicité s'adresse à :
   ❏ des touristes   ❏ des gens qui travaillent et à des étudiants   ❏ des gens à la retraite

2. C'est une publicité pour ... .

3. Quel est le slogan ? Qu'est-ce qui illustre ce slogan ?

4. Dans Découvrez *votre vraie nature*, il y a un double sens comme souvent dans la publicité :
   1) = toutes vos qualités
   2) votre espace...

5. Dans le texte, quels mots s'adressent en particulier aux personnes qui travaillent ?

6. Quels mots soulignent la dimension humaine de la ville ?

DES CONVERSATIONS (5 points)

1. Complétez la conversation entre David et Hortense, sa fiancée.

– Si tu es d'accord, demain soir on va au restaurant.

– ...

– Rue Sainte-Anne , il y a un bon resto japonais. Et le saki est excellent !

– ...

– C'est cet alcool de riz, tu connais.

– ...

– Ben, on mange du poisson cru, des algues et plein de bonnes choses !

– ...

– Non, il n'est pas particulièrement cher. On y va alors ?

– ...

2. Complétez la conversation entre Thierry et Suzanne.
Thierry n'arrive pas à copier un fichier sur sa clé USB. Il demande de l'aide à Suzanne.
(ouvrir l'icône « Disque amovible », sélectionner le fichier, faire passer le fichier sur la clé avec la souris).

– ...

– Oui, qu'est-ce qu'il y a ?

– ...

– ...

– ...

– ...

Vous avez : 5 points. Très bien !
Vous avez moins de 3 points : revoyez les pages 52, 53, 54 et 68, 69, 70 du livre.

DES FORMES (3 points)

3. Complétez par *sortir*, *partir* et *voir*.

1. Si tu ne ... pas maintenant, les boutiques vont fermer. (sortir)

2. ... s'il vous plaît. Nous n'avons plus rien à nous dire ! (partir, impératif, vous)

3. Je ... avec plaisir, mais je suis trop fatigué. (sortir, conditionnel)

4. Tu ... Mathilde, hier ? (voir, passé composé)

4. Exprimez une petite quantité par *quelques* (1, 2) et une plus grande quantité par *plusieurs* (3, 4).

1. Tu as ... minutes ?

2. Il a ... idées intéressantes, parfois.

3. Nous sommes restés ... jours à Rome. Quelle belle ville !

4. On a ... offres à vous faire. Et toutes intéressantes !

5. Complétez par *ce/cet*, *cette*, *ces*.

1. Toutes ... histoires me fatiguent !

2. ... pièce se monte là, tu vois ?

3. ... voyage est très bien organisé.

4. Il ne faut pas perdre ... vis.

Vous avez : 3 points. Très bien !
Vous avez moins de 1,5 point : revoyez les pages 55, 56 et 72, 73 du livre.

DES SONS ET DES LETTRES (3 points)

6. Écoutez et cochez quand vous entendez le son [b] ou [v].

1. ☐   2. ☐   3. ☐   4. ☐   5. ☐   6. ☐

7. Écoutez et complétez les mots.

1. Qu'est-ce que tu ...er...es, au fait ?

2. Tu m'aides à monter ce meuble dans la ...ambre ?

3. Voilà quelque ...ose d'intéressant !

Vous avez : 3 points. Très bien !
Vous avez moins de 1,5 point : revoyez les pages 58, 59 et 74, 75 du livre.

DE L'ÉCOUTE (3 points)

8. Écoutez cet enregistrement et répondez.

1. C'est :
- ❏ un répondeur personnel
- ❏ un enregistrement d'une société
- ❏ un message dans une gare

2. Vrai ou faux ?

	Vrai	Faux
a. C'est une société de livraison.	❏	❏
b. Vous devez aller cherchez votre colis.	❏	❏
c. La société a un site sur internet.	❏	❏
d. Vous pouvez avoir votre colis le samedi.	❏	❏

3. Pourquoi vous pouvez rester en ligne ?

Vous avez : 3 points. Très bien !
Vous avez moins de 1,5 point : revoyez la page 59 du livre.

DE LA LECTURE (3 points)

e-candidature, mode d'emploi

➔ **Choisir un format standard.**
Enregistrer votre CV en «.rtf», tout le monde peut l'ouvrir. Cliquez sur «Fichier», puis sur «Enregistrer sur» et dans la liste proposée, choisissez le format RTF

➔ **Vérifier votre CV en version imprimée**
pour éviter d'avoir de mauvaises surprises

➔ **Mettre dans "Objet" de votre mél,**
les références de l'annonce (si vous répondez à une offre d'emploi) et votre nom.
Vous allez avoir plus facilement une réponse.

9. Lisez et répondez.

1. À qui s'adresse ce texte ?

2. C'est au sujet de la demande de ... .

3. Combien de phases comprend ce « mode d'emploi » ?

4. Pour votre Curriculum vitae, quel format devez-vous choisir ?

5. Pourquoi on vous conseille d'imprimer votre CV ?

6. Qu'est-ce qu'il ne faut pas oublier, quand on envoie son CV ?

Vous avez : 3 points. Très bien !
Vous avez moins de 1,5 point : revoyez les pages 60, 61 et 76, 77 du livre.

DES TEXTES (3 points)

10. Écrivez un règlement.

Vous êtes pensionnaire dans une cité universitaire, en France (Lyon, Paris, Saint-Nazaire...). Vous avez un petit balcon, mais l'étudiant de l'étage au dessus fait sécher son linge à l'extérieur de son balcon. En plus, il a accroché au balcon un gros bac à fleurs et quand il arrose ses plantes, l'eau coule sur votre balcon. Il secoue son tapis à toutes les heures de la journée... D'autres étudiants ont le même problème. Vous proposez un règlement pour éviter ces désagréments.

```
AUX PENSIONNAIRES DU BÂTIMENT 4
DE LA CITÉ UNIVERSITAIRE

...
```

Vous avez : 3 points. Très bien !
Vous avez moins de 1,5 point : revoyez les pages 62 et 64 du livre.

APPRENDRE À UTILISER « LE CONTRAT PÉDAGOGIQUE »

Stratégies pour gérer l'interaction avec un locuteur natif

Quand on apprend une langue, on a toujours des doutes. Et s'il nous arrive de parler à un locuteur natif (dans notre cas, un français, un canadien ou un belge etc.), on passe tout naturellement avec lui une sorte de « contrat pédagogique ». Les règles de ce contrat sont implicites : le natif comprend vos difficultés et vos erreurs. Il a le rôle de vous aider, de vous expliquer...
Qu'est-ce que vous faites dans ce cas-là ?

Lisez cette liste.

Quand vous parlez à un locuteur natif, on peut lui demander de l'aide à propos :

• **d'un mot (de votre langue)**

Comment on dit *barcaiolo* en français ?   On dit *batelier*, la personne qui *conduit un bateau, une barque*

• **d'une expression (de votre langue)**

Comment on dit *see you* en français ?   On dit *au revoir*.

• **d'un sigle français**

SNCF, qu'est-ce que c'est ?   C'est la Société Nationale des Chemins de Fer, qui a la gestion des trains.

• **d'un mot français de la langue ordinaire**

Que veut dire *bidoche* ?   *Viande*, ça veut dire *viande*.

Vous pouvez aussi lui poser des questions sur :

• **la prononciation d'un mot**

On dit [pɔl] (Paul), avec le o ouvert ?   Oui, c'est ça, même si d'habitude on prononce *au* avec le o fermé.

Pourquoi dans *cassis* on prononce le *s* ?   Ben, c'est comme ça !

▶ **Est-ce que vous posez ce genre de questions quand vous parlez à un locuteur natif ? Une langue s'apprend de plusieurs façons, même en dehors des cours, comme dans les situations que l'on vient de présenter. N'hésitez pas à demander des informations et des explications à votre interlocuteur ◀**

MODULE 3
Sentiments

Contrat d'apprentissage

UNITÉ 5 Cœur et santé

(*Découvertes*) Autour du couple

INTERACTION

DES CONVERSATIONS
▶ **exprimer son intérêt pour quelqu'un, exprimer l'affection**

RÉCEPTION ORALE

DE L'ÉCOUTE
▶ **comprendre une chanson**

RÉCEPTION ÉCRITE

DE LA LECTURE
▶ **comprendre un horoscope**

PRODUCTION ÉCRITE

DES TEXTES
▶ **écrire une lettre au courrier du cœur**

UNITÉ 6 Problèmes, problèmes

(*Découvertes*) Le bénévolat

DES CONVERSATIONS
▶ **interroger sur la tristesse, l'abattement, exprimer la sympathie, rassurer**

DE L'ÉCOUTE
▶ **comprendre une interview à la radio**

DE LA LECTURE
▶ **comprendre un test de magazine**

DES TEXTES
▶ **écrire une lettre à un(e) ami(e)**

PROJET : Concours de photo

Découvertes

Autour du couple

Le *couple* et le choix du partenaire

- Comment se forment les couples ?
- Qui rencontre qui, où et pourquoi ?

Le sociologue Michel Bozon, qui étudie ces questions, répond aux internautes.

1 *Les hommes et les femmes recherchent les mêmes qualités chez leur partenaire ?*

On peut dire que les hommes sont plus sensibles à l'aspect des femmes. Les femmes ne sont pas indifférentes à l'aspect physique des hommes, mais elles recherchent plutôt des qualités psychologiques et professionnelles.

2 *Le couple appartient à des catégories socioprofessionnelles différentes ?*

Beaucoup de rencontres ont lieu quand les jeunes étudient encore ou quand leur vie professionnelle vient de commencer. Pourtant, on remarque que les hommes et les femmes viennent de milieux sociaux très proches. La vie sociale, les loisirs et les goûts culturels facilitent les rencontres entre des personnes de la même origine sociale.

3 *Est-ce que les nouvelles formes de communication, sur Internet par exemple, modifient le choix du partenaire ?*

Ce n'est pas sûr. Après tout, un homme et une femme doivent bien se rencontrer dans la vraie vie.

[D'après www.linternaute.com/actualiteinterviews/06/michel-bozon/chat-michel-bozon.shtml]

1. Ensemble et pourquoi ?

1. Dans ce texte, on essaie de répondre à quelle question ?
   ❑ Pourquoi un homme et une femme se choisissent ?
   ❑ Après combien de temps ils vont vivre ensemble ?
   ❑ Comment la famille influence le choix du partenaire d'un(e) jeune ?

2. D'après vous, ici, *le/la partenaire* (*partner* en anglais) signifie :
   ❑ une personne avec qui on partage quelque chose (sa vie, une activité sportive...)
   ❑ un supérieur (directeur, chef d'équipe...)
   ❑ un membre de la famille (frère, père, cousin...)

1er paragraphe

3. À quoi les hommes sont plus sensibles ?
   Et les femmes, que recherchent-t-elles chez un partenaire ?

2e paragraphe

4. Quel adjectif s'oppose à *sensible* ?
   ❑ physique   ❑ indifférent   ❑ professionnel

5. De quel milieu social vient le partenaire ? Quelles sont les occasions de rencontre ?

3e paragraphe

6. Est-ce que les formes de contact sur Internet vont remplacer la rencontre
   « traditionnelle » ? Pourquoi ?

> Est-ce que ces informations
> vous surprennent ?
> Pour quelles raisons ?

Exprimer son intérêt pour quelqu'un, exprimer l'affection

Rendez-vous à 8 heures

2. Écoutez et lisez.

QUENTIN. — Allô, bonjour, je suis Quentin. Nous nous sommes rencontrés chez les Pignot. J'étais en face de vous. Vous vous souvenez ?

FLORA. — Ah oui ! Bonjour, Quentin ! Quelle surprise !

QUENTIN. — Euh…, je vous dérange ?

FLORA. — Non, non, pas du tout. Au contraire. Je lisais le journal.

QUENTIN. — Alors, voilà euh… je vous trouve… très sympathique, j'aimerais bien vous revoir.

FLORA. — Ah bon ! Euh…

QUENTIN. — Demain, ça vous irait ?

FLORA. — Euh…. Oui, bonne idée !

QUENTIN. — Ah, oui. Quelle est votre adresse ?

FLORA. — J'habite rue Saint Étienne, au 25.

QUENTIN. — Alors, à demain, Flora.

3. Écoutez encore et répondez.

1. C'est une conversation :
   ❏ entre deux amis d'enfance
   ❏ entre un jeune homme et une jeune femme qui viennent de se connaître
   ❏ entre un homme et son épouse

2. Qui appelle au téléphone ?

3. Quentin hésite un peu ?

4. Flora est : ❏ contente ❏ pas contente

4. Trouvez les phrases correctes.

1. Quentin et Flora se sont connus dans le train.

2. Flora est surprise.

3. Le jeune homme dit que Flora est sympathique.

4. Elle lui propose un rendez-vous.

5. Ils décident de se rencontrer le soir même.

5. D'après vous, quel sens ?

1. Quel verbe signifie : demander si l'interlocuteur est disponible ?

2. Vous connaissez le nom *souvenir* (m.). Alors, que signifie le verbe *se souvenir (vous vous souvenez ?)* ?

3. Quentin propose à Flora un rendez-vous. Que signifie alors *Ça vous irait* ? Lisez aussi la réponse de Flora.

6. *Je vous attends en bas de chez vous* signifie que Quentin :
   ❏ se trouve loin de l'immeuble de Flora.
   ❏ reste dans la rue devant la porte de l'immeuble jusqu'à l'arrivée de Flora.
   ❏ attend Flora devant sa porte à 8 heures.

DANS VOTRE LANGUE, COMMENT VOUS EXPRIMEZ VOTRE INTÉRÊT POUR QUELQU'UN OU QUELQUE CHOSE ? ET SI VOUS ÊTES SURPRIS(E) ?

Nagyon szimpatikusnak találom Önt Micsoda meglepetés *

* En hongrois : – Je vous trouve très sympathique.
– Quelle surprise !

Alors ?

- Pour exprimer sa surprise, Flora dit : …
- Après les salutations du début, Quentin commence la conversation par : *Alors…*
- Pour exprimer son intérêt pour Flora, Quentin dit : *Je vous…*
- Écoutez à nouveau et jouez la conversation.

DES MOTS — Qualités et sentiments

Pour décrire les personnes et leurs relations personnelles, on utilise des adjectifs et des noms. En voici quelques-uns.

QUALITÉS

adjectifs

agréable	doux/ce
sérieux/euse	drôle
travailleur/euse	agressif/ve
courageux/euse	irritable
intelligent/e	sensible

UNIONS

noms	**adjectifs**
le couple	célibataire
le mari, la femme	marié/e
le copain, la copine	
le petit ami, la petite amie	se marier
le pacs	se pacser

verbes

aimer

tomber amoureux/euse (de)

être amoureux/euse (de)

se séparer

vivre avec

sortir avec

7. D'après vous, quels adjectifs expriment une qualité positive ?

...   sérieux

...   ...

8. Quels mots expriment les relations personnelles entre ces personnes ?

1. Fabienne, 15 ans, sort avec Jules, 16 ans : on dit que Jules est le petit ... de Fabienne.

2. Monsieur et madame Dubois sont mariés : on dit que madame Dubois est ... de monsieur Dubois.

3. André, 26 ans, n'est pas marié : on dit qu'il est ... .

4. Quentin a éprouvé tout de suite un sentiment pour Flora. Alors, on peut dire qu'il est tombé ... .

5. Un homme et une femme qui vivent ensemble sont un ... .

DES RÉPLIQUES — Exprimer son intérêt pour quelqu'un

COMMUNICATION

Pour exprimer son intérêt, son amour pour quelqu'un, on dit :
– Je vous trouve intéressant(e).
– Vous êtes (très) sympathique
  brillant(e)/charmante (pour une femme)...

Pour exprimer un sentiment d'affection, on peut dire :
– Je pense beaucoup à vous.
– Je tiens beaucoup à vous.
– Je suis bien avec vous.

Pour exprimer sa surprise, on dit :
– Quelle surprise !
– Ah !
– Ah bon !
– Oh !

Pour commencer une conversation,
on peut dire :
Alors, voilà...
Tu as/Vous avez deux minutes ?
Je voudrais te parler (de)...
Je voudrais te dire (que)...

9. **Complétez les répliques, à partir des situations.**

1. Hervé, 28 ans, musicien, a rencontré Madeleine, 29 ans,
   professeur de physique, chez des amis.
   Il la revoit devant le lycée. Elle est surprise.

   HERVÉ. – Bonjour, Madeleine...

   – ...

2. Hervé a invité Madeleine au restaurant.
   Il lui dit des choses agréables.

   – Madeleine, je voudrais vous parler...

3. Madeleine aussi lui dit des choses agréables.

   – C'est gentil ! Moi aussi je...

DES FORMES **J'étais...**

Vous connaissez quelques formes de l'imparfait, comme il était, il faisait, il y avait (*Alors !*, niveau A1, unité 8).

10. **Observez la conjugaison complète des verbes *être* et *avoir*.**

CONJUGAISON

IMPARFAIT

Être	Avoir
J'étais	J'avais
Tu étais	Tu avais
Il/Elle était	Il/Elle avait
Nous étions	Nous avions
Vous étiez	Vous aviez
Ils/Elles étaient	Ils/Elles avaient

1. Est-ce que les terminaisons de l'imparfait de *être* et *avoir* sont les mêmes ?

2. Pour l'imparfait d'*être*, combien de formes à l'oral ?
Combien à l'écrit ?

3. Pour l'imparfait d'*avoir*, combien de formes à l'oral ?
Combien à l'écrit ?

Les terminaisons de l'imparfait –ais, –ais, –ait... sont les mêmes pour tous les verbes.

11. **Maintenant, conjuguez le verbe *aimer* à l'imparfait.**

CONJUGAISON

Imparfait des verbes en -er

aimer
J'aim-ais
...
...
...
...
...

12. **Mettez les verbes à l'imparfait.**

1. *Rodolphe trouve* Madeleine très charmante.

2. Quand *je suis* seule, *je pense* souvent à vous.

3. *J'ai* quelque chose à vous dire.

4. *Ils sont* bien ensemble.

5. *Vous êtes* contente de me voir ?

6. *Tu as* une copine ?

Aussi brillant que...

> **Vous savez utiliser plus, moins avec un adjectif** (*Alors !*, niveau A1, unité 7) :
> *C'est plus grand, moins lourd.*
> **On peut aussi exprimer la quantité par une comparaison :**
> *Il fait moins chaud qu'hier.*
> *Elle est plus grande que moi.*
> *Tu es aussi irritable que ton père !*

13. Observez et lisez.

a. Alex est plus intelligent que son frère.

b. Catherine est moins douce que Jasmina.

c. Sylvain est aussi agressif que Corentin.

d. C'est plus grand que chez moi.

GRAMMAIRE

Pour comparer avec les adjectifs, on utilise :

plus... que + nom/pronom (>) Il est plus intelligent que toi.

moins... que + nom/pronom (<) Elle est moins charmante que sa copine.

aussi... que+ nom/pronom (=) Tu es aussi brillant que lui.

14. Comparez les éléments suivants, d'après les indications.

1. Mathieu > son père (grand)

2. La voisine = son mari (sympathique)

3. Sa voiture < le vieux modèle (rapide)

4. Nous > vous (calme)

5. Ils = leurs amis (drôle)

6. Il > nous (riche)

15. Transformez ces comparaisons (des expressions populaires) : utilisez *aussi... que* au lieu de *comme*.

Exemple : Il est bête comme une oie. → *Il est aussi bête qu'une oie.*

1. Il est beau comme un dieu.

2. Il est malin comme un singe.

3. Il est long comme un jour sans pain.

4. Il est lent comme une tortue.

5. Il est myope comme une taupe.

6. Il est jaloux comme un tigre.

Le plus beau, le moins cher

GRAMMAIRE

Pour exprimer une grande quantité avec un adjectif, on utilise très :
Mon équipe est très dynamique. *(= par rapport à toutes les équipes) (A1, unité 8)*

On peut aussi exprimer la quantité par une comparaison :
Sacha est le plus brillant de notre groupe. *(= par rapport à notre groupe).*

En grammaire, la forme le plus/moins adjectif + de s'appelle superlatif (relatif).

16. **Observez et lisez. Soulignez les mots comme** *groupe,* **dans l'exemple ci-dessous.**

Exemple : Sacha est le plus brillant du <u>groupe</u>.

a. C'est le plus cher de la boutique.

b. Vous êtes la plus charmante des invitées.

c. Claude est le moins timide.

d. Vous êtes le plus beau du monde.

	Oui	Non
1. Pour former le superlatif de l'adjectif, devant *plus* et *moins* il y a toujours *le, la, les*	☐	☐
2. *Du, de la, des* se trouvent toujours devant le nom/pronom qui sert de comparaison.	☐	☐

GRAMMAIRE

Le superlatif de l'adjectif se forme avec le plus... de, les moins... de, la plus... de, etc. :
Cet appartement est le plus clair de l'immeuble. *(= par rapport à l'immeuble)*

On peut exprimer le superlatif sans comparaison :
Cet appartement, c'est le plus clair.

Sacha Guitry 1895-1957

« Sacha est le plus brillant de notre groupe. »

17. **Mettez l'adjectif au superlatif, d'après les indications.**

Exemple : Régis est > généreux (nos amis)
→ *Régis est le plus généreux de nos amis.*

1. Luc est < patient (les moniteurs de la piscine)

2. Ils sont > dynamiques (l'équipe)

3. Cette plage est > chic (la région)

4. Son appartement est < ensoleillé (l'étage)

5. Ces maisons sont > vieilles (la ville)

6. Ces problèmes sont > sérieux (tous)

« Yann est le plus patient des moniteurs de la piscine. »

| DES SONS | Le son [k] |

> En français, il y a le son [k], comme : Quentin, courageux.

18. Écoutez à nouveau la conversation p. 90 et notez les mots avec le son [k].

[k]   ...   .

19. Écoutez et cochez quand vous entendez le son [k].

1.☐   2.☐   3.☐   4.☐   5.☐   6.☐

20. Écoutez et répétez. Indiquez les groupes rythmiques par / .

1. Il y a quelques jours, Quentin a téléphoné à Flora.

2. C'est qu'il trouve la jeune femme sympathique.

3. Il lui a proposé de se rencontrer.

4. Flora a hésité un peu, puis elle a dit oui.

5. Quand finalement ils se sont vus, ils avaient l'air heureux.

21. Écoutez à nouveau et notez les mots accentués.

Exemple : Il y a quelques jours, Quentin a téléphoné à Flora.

22. Écoutez et répétez rapidement à haute voix.

Les gants de Quentin sont grands et quelque peu coûteux.

Et maintenant, à vous !

23. Imaginez et jouez les conversations.

B - Au marché, Ivana reconnaît Aurélien. Elle le trouve intéressant, mais elle n'ose pas le dire. Elle l'invite à aller à une fête avec elle.

C - Laurent, jeune étudiant canadien, est en France. Il est assis dans une salle d'attente. À côté, une jeune femme lit un texte de droit. Laurent trouve la jeune femme intéressante. Qu'est-ce qu'ils vont se dire ?

A - Franck, étudiant, 24 ans, fait du jogging. Il voit Edwige, une jeune femme, assise sur un banc. Il s'arrête, se présente, lui demande s'ils se sont déjà rencontrés, etc.

Je pense à toi...

24. **Écoutez** *Je pense à toi*.

Axelle Red est une jeune chanteuse belge qui a beaucoup de succès. L'une de ses chansons les plus connues est *Paris-Kaboul*, en duo avec Renaud. La voix d'Axelle Red a résonné dans tous les stades français pendant le Championnat du monde de football (1998) où elle a chanté une chanson écrite pour l'occasion avec le chanteur sénégalais Youssun Dour : *À toi de faire rêver/ À ton tour de jouer/ À ton tour de gagner...*

1. D'après vous, c'est une chanson : ❏ politique ❏ d'amour

2. Le refrain dit : *Quand rien ne va*
   Je pense à toi
Qui est « toi » ? ❏ un homme célèbre ❏ son copain ❏ un ami ❏ un personnage célèbre

25. **Écoutez à nouveau.**

1. Combien de fois entendez-vous le refrain ?

2. (Refrain) La personne aimée fait oublier le temps gris et le froid. Pourquoi ? *T'(u) es mon...* Chacun a sa manière de surmonter les petites choses désagréables de la vie quotidienne. Dans la chanson, cette manière c'est : *Mon truc à moi/...* *Mon truc* (= moyen) pour bien vivre.

3. (1er couplet) La liste des choses désagréables continue. Complétez. *Quand tout est.../Et me déçoit/ C'est toi qui...*

4. (2e couplet) Et même si les plus petits détails quotidiens deviennent désagréables (= casse-pieds, dans le langage ordinaire) : *Ce matin, chaque chose me... / Le moindre détail ... casse-pieds* La solution, c'est : *Alors, ...*

DES LETTRES   **Les lettres c + o/a/u, qu + voyelle**

En français, les lettres c devant o, a, u et qu devant une voyelle notent le son [k] : encore, question.

26. **Écoutez et complétez les mots avec le son [k]. Puis notez-les dans le tableau.**

1. ...mbien   4. ...œur
2. ...mment   5. é...ter
3. ...and   6. ...rieux

	c devant a, o, u	qu devant voyelle
[k]	...	...

ORTHOGRAPHE

Dans certains mots, d'autres lettres notent le son [k].

k	kilo
q	coq, cinq
ch	orchestre
ck	bifteck, ticket

Horoscope

SEMAINE DU 6 AU 12 JUILLET

Bélier *21 mars-20 avril*

Santé. Vous allez bien, mais attention : le stress est votre ennemi.

Social. Cette semaine, vos chances de succès sont réelles. Profitez de l'occasion.

Cœur. Votre partenaire est indécis. Laissez-lui le temps de réfléchir. La patience est une grande vertu, attendez jusqu'au 9.

Taureau *21 avril- 21 mai*

Santé. Vous négligez les activités sportives. Voilà la cause de vos rhumatismes. Allez au travail à pied et laissez votre voiture au parking.

Social. Vous vivez trop seul(e). Vos amis sont déçus. La prochaine fois, répondez au téléphone et sortez.

Cœur. Tout va très bien. C'est l'accord parfait entre vous. Journée formidable le 7.

Gémeaux *22 mai-21 juin*

Santé. Vous êtes sensible à la grande chaleur. Buvez beaucoup d'eau, mangez régulièrement des fruits et des légumes et sortez aux heures fraîches. Journée difficile le 10.

Social. Vous négligez votre vie privée à cause de projets professionnels, très intéressants, bien sûr. Réfléchissez.

Cœur. Vous vivez dans les nuages. Mais attention à l'atterrissage.

27. **Vous connaissez certainement ce genre de textes. Observez et lisez.**

1. Dans l'horoscope :
   - ❏ on donne des conseils
   - ❏ on raconte des faits
   - ❏ on demande des informations

2. Quels signes du zodiaque sont mentionnés ?

3. Pour le signe du Bélier, *21 mars - 20 avril* indique :

   - ❏ les jours heureux
   - ❏ les jours où les lecteurs sont nés
   - ❏ les jours difficiles

4. Combien de parties a chaque texte ?

5. Comment s'appelle la partie consacrée à la vie sentimentale ?

28. **Lisez à nouveau un signe à la fois.**

Bélier

1. Pour être en bonne santé, les lecteurs **Bélier** doivent faire attention...

2. L'activité sociale et professionnelle de ce signe est-elle positive ?

3. Pourquoi il faut être patient avec le partenaire des **Bélier** ?

Taureau

4. Quel est le premier conseil ?

5. Quel est le problème des **Taureau** dans la vie sociale ?

6. Quel jour est particulièrement heureux pour la vie sentimentale de ce signe ?

Gémeaux

7. Qu'est-ce que les **Gémeaux** supportent mal physiquement ?

8. Sur quoi leur vie professionnelle risque de peser ?

9. La vie sentimentale de ce signe :   ❏ va bien   ❏ va très bien   ❏ va assez bien

10. *Vivre dans les nuages* signifie *vivre comme dans un (beau) rêve*, loin des problèmes du monde. *Atterrissage* est formé avec le mot *terr(e)*.
    Que signifie alors *Attention à l'atterrissage* ?

> Vous lisez des horoscopes ?
> Vous croyez ce qu'ils annoncent ?
> Avez-vous des signes astrologiques ?

Le courrier du cœur

LE COURRIER DES LECTEURS

Chère Samantha,

J'ai dix-neuf ans. Je sors depuis six mois avec Khaled. C'est un garçon sensible et brillant. Mais il vient de s'engager dans l'armée. Moi, j'habite à Grenoble, lui, il est à l'École de sous-officiers à Saint-Maixent, près de Poitiers. C'est loin ! Notre amour est-il en danger ?

Claire-Odile

Bonjour, Samantha,

J'ai vingt-cinq ans et je suis très timide. Il y a deux mois, j'ai connu chez des amis une jeune fille, Océane. J'aimerais bien la revoir et l'inviter au cinéma, au restaurant. Mais je n'ai pas le courage de lui téléphoner. Qu'est-ce que je dois faire ?

Simon

29. Lisez ces lettres adressées à la rubrique **Le courrier du cœur** d'un magazine.

1. À qui est-ce qu'on envoie ces lettres ?
   ❑ à Samantha
   ❑ à Claire-Odile
   ❑ à Simon

2. On parle de problèmes :
   ❑ d'argent
   ❑ de cœur
   ❑ de travail

3. Complétez le tableau.

	Claire-Odile	Simon
On s'identifie (âge, qualités/défauts…)	*J'ai dix-neuf ans.*	…
On explique la situation	…	*Il y deux mois… au restaurant.*
On énonce le problème	…	…
On demande conseil	…	…

30. Mettez les parties de cette lettre dans l'ordre.

Mais mon ordinateur est tombé en panne et je ne retrouve plus l'adresse de Geltrud.

La semaine dernière, j'ai chatté avec une internaute, Geltrud. Nous avons parlé de nos vies, de nos projets. Et nous nous sommes donné rendez-vous à l'adresse où elle travaille : nous habitons la même ville.

J'ai vingt-six ans et j'aime surfer sur Internet.

Qu'est-ce que tu me conseilles ?

Pierre

DES FORMES — Connaître

Vous avez rencontré quelques formes du verbe connaître, comme :
J'ai connu.

CONJUGAISON

Connaître

Présent	Je connais
	Tu connais
	Il/Elle connaît
	Nous connaissons
	Vous connaissez
	Ils/Elles connaissent
Participe passé	Connu
Passé composé	J'ai connu …
Conditionnel	Je connaîtrais …

Paraître se conjugue comme connaître.

Au présent, quelles les bases de *connaître* ?

31. Complétez par les formes de *connaître*.

1. Notre concierge … tout le monde, ici !
2. Tu ne … pas un bon psychologue, par hasard ? (conditionnel)
3. Ils sont là depuis vingt ans. Ils … bien la région.
4. Fred … Ginger au théâtre l'année dernière.
5. Je … bien ce problème.

Et maintenant, à vous !

32. Sur le modèle du Courrier du cœur, p. 100, écrivez des lettres à partir des situations suivantes.

1. Louise, 21 ans est amoureuse de Philippe, représentant de commerce.
   Leur rencontre : il y a 3 mois dans un café.
   Problème : Philippe voyage beaucoup pour son travail, ils n'arrivent pas à se voir souvent.

2. Imaginez un autre problème entre deux amoureux :
   l'un part à l'étranger pour un an /
   la famille n'est pas d'accord /
   il (elle) a un mauvais caractère (irritable)…

Alors, votre français ?

COMMUNIQUER

À l'oral, je peux :

❏ exprimer mon intérêt pour quelqu'un — *Vous êtes charmante !*

❏ exprimer un sentiment d'affection — *Je tiens beaucoup à vous !*

❏ exprimer la surprise — *Quelle surprise !*

À l'écrit, je peux :

❏ écrire une lettre au courrier du cœur — *J'ai 25 ans et je suis très timide.*

GRAMMAIRE

Je sais utiliser :

Les verbes

❏ connaître présent, participe passé, passé composé, conditionnel — *Tu connais* / *J'ai connu* / *Je connaîtrais*

❏ l'imparfait de *être*, avoir, aimer — *J'étais* / *Tu avais* / *Il aimait*

La syntaxe

❏ le comparatif avec les adjectifs *aussi brillant que...* — *Farid est aussi brillant que son père.*

❏ le superlatif relatif *le plus* *le moins* — *Claude est le plus/le moins timide du groupe.*

NOTIONS ET LEXIQUE

Je sais utiliser les mots concernant :

❏ Qualités et sentiments
agréable
sérieux(euse)
travailleur(euse)...

Noms
le couple
le mari / la femme
le copain / la copine...

Adjectifs
célibataire
marié(e)

Verbes
aimer
tomber amoureux(euse)
se marier...

Découvertes

Le bénévolat

LES ASSOCIATIONS

La loi de 1901 reconnaît à tous les citoyens le droit de fonder une association ou d'en faire partie : 27 % des Français sont bénévoles dans une association, soit environ 13 millions de personnes. En France, 170 000 associations sportives, culturelles, d'action sociale, de loisirs... emploient plus d'un million et demi de salariés. Leur budget correspond à 3,7 % du PIB (produit intérieur brut), mais elles n'ont pas le droit de distribuer des bénéfices. Elles sont de taille différente : petite association de quartier (*Les Amis de la Nature*, Deuil-la-Barre, banlieue Nord de Paris) ou association nationale ou internationale très connue (*Médecins sans Frontières*). Les associations culturelles, pour les jeunes surtout, sont particulièrement dynamiques.

Les associations partagent des valeurs comme l'équité sociale et la solidarité. Elles ont un rôle important dans la vie démocratique du pays.

Francine Renneteau, 34 ans, salariée à mi-temps, mère de trois enfants, explique son engagement : *« Je suis bénévole dans une association humanitaire locale depuis un an et demi. Comme mère de famille, j'ai besoin d'apporter quelque chose aux autres. Pour l'instant, c'est quelques heures par mois, mais je sais que je ne vais pas m'arrêter là ».*

« Elles ont un rôle important dans la vie démocratique du pays. »

[D'après MAIF Magazine, L'élan associatif, p.10-11, Octobre 2006, www.maif.fr]

1. Quelle action ?

Le sujet concerne : ...

2. Lisez à nouveau le 1er paragraphe.

1. Est-ce que tout le monde peut faire partie d'une association ?

2. Selon quelle loi ?

3. Combien de Français participent à l'activité d'une association ?
   ... %, soit ... millions.

4. Dans quels domaines agissent les associations ?

5. Pourquoi ont-elles aussi une importance économique ?

3. Lisez encore le second paragraphe.

1. Dans quels domaines les associations sont particulièrement actives ?

2. Quelles valeurs caractérisent les associations ?

3. Quelle est la motivation de Francine Renneteau ?

4. *Aequitas* en latin a donné *equity* en anglais, *équité* en français.
   Comment dit-on *équité* dans votre langue ?

> Quelles associations sont les plus actives dans votre pays ?
>
> Faites-vous partie d'une association ?

Interroger sur la tristesse, l'abattement

On est là, non ?

4. **Écoutez et lisez.**

Deux amis, à la terrasse d'un café.

MAXIME. — Et pour tes histoires de santé ?

GUILLAUME. — Ça ne va pas très bien.

MAXIME. — Ah ? Qu'est ce qui ne va pas ?

GUILLAUME. — Je dois m'occuper sérieusement de mon asthme. Mon médecin dit que c'est plus grave qu'avant.

MAXIME. — Mais ça se soigne très bien maintenant, non ?

GUILLAUME. — Oh, les traitements, tu sais ! Je dois surtout arrêter le sport, éviter les endroits climatisés …

MAXIME. — Allez ! Pas de déprime. On est là, non ?

GUILLAUME. — C'est vrai, c'est vrai. Il y a les amis…

> DANS VOTRE LANGUE, QU'EST-CE QUE VOUS DITES À UN AMI QUAND IL A L'AIR TRISTE ? ET POUR LE RÉCONFORTER S'IL A UN PROBLÈME ?

> ‫– چه خبر است؟‬
> ‫– آه، بگذر،‬
> ‫چیزی نیست.‬*

5. **Écoutez encore et répondez.**

1. Qui a un problème ?
   ❏ Guillaume
   ❏ Maxime

2. C'est un problème :
   ❏ de cœur
   ❏ de santé
   ❏ de travail

* En farsi : – Qu'est ce qui se passe ?
                – Oh, mon pauvre. Allez, ça va aller.

6. **Cochez les bonnes réponses.**

1. Guillaume souffre d'allergie.   ❏

2. Maxime rassure son ami.   ❏

3. Guillaume doit arrêter de travailler. ❏

4. Il apprécie l'amitié de Maxime.   ❏

7. **Que doit éviter Guillaume ?**
Avoir/Prendre soin de (sa santé) signifie :
être attentif à (sa santé).
Que signifie alors *se soigner* ?

Alors ?

- Pour introduire le sujet de la santé de son ami, Maxime dit : …
- Pour interroger Guillaume sur sa tristesse, Maxime dit : …
- Pour exprimer sa tristesse, Guillaume dit : …
- Pour exprimer sa sympathie, Maxime dit : …
- Écoutez à nouveau et jouez la conversation à deux.

DES MOTS — Problèmes ordinaires

Qu'est-ce qui crée des problèmes dans la vie quotidienne ?

La santé
une allergie,
le mal de tête,
la tension (artérielle),
le cholestérol…

Le travail
mal payé, précaire,
répétitif,
des relations difficiles
avec les supérieurs,
le chômage…

Les enfants
(quand ils sont petits)
ils sont malades,
(quand ils sont plus grands)
ils n'aiment pas l'école…

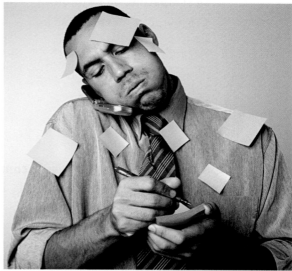

Les relations familiales
avec son conjoint,
avec ses parents,
avec ses frères et sœurs…

L'argent
les crédits,
les loyers chers,
le coût de la vie…

8. **Lisez la liste et répondez.**

1. (Santé) On dit qu'elles augmentent à cause de la pollution : les … .

2. *La tension (artérielle)* concerne :
   ❏ le sang
   ❏ le poids
   ❏ les articulations

3. (Travail) Un travail *qui n'est pas stable, qui n'est pas sûr* est :
   ❏ mal payé
   ❏ précaire
   ❏ répétitif

4. (Argent) C'est un système de paiement retardé, c'est pour encourager
   la consommation.
   C'est … .

9. **Classez ces problèmes (santé, travail...) par ordre d'importance, selon vous.**

DES RÉPLIQUES — Interroger sur la tristesse, l'abattement

COMMUNICATION

• **Pour interroger quelqu'un sur son état d'esprit (négatif), on dit :**

– Qu'est-ce qui se passe ?
  Qu'est-ce qui t'arrive ?
  Qu'est-ce qui ne va pas ?
– Ça ne va pas bien.
– Qu'est-ce qu'il y a ?
– J'en ai assez !

– Ça ne va pas (bien) ?
– Je suis triste /
  malheureux(euse) / préoccupé(e).
– Tu as des problèmes ?
– Oui. Ça va mal.
  Je suis mal.

• **Pour exprimer sa sympathie, on peut dire :**

– C'est vrai, ce n'est pas facile.
– Je te comprends.
– Ah, mon / ma pauvre !

• **Pour rassurer, on peut dire :**

– Ça va aller !
– Allez, pas de déprime /
  d'angoisse !
– Ce n'est pas (si) grave !
  Ce n'est rien (de grave).

Pour introduire un thème, un sujet, on dit :
*Et pour cette histoire/ces histoires de santé/d'argent/de travail… ?
Bon, alors, qu'est-ce qu'on fait ?
Alors, quoi de neuf ?
Alors, qu'est-ce que tu (me) racontes ?*

10. **Observez les images et complétez les répliques.**

Manon ne va pas bien. Elle parle à une amie.

BRIGITTE. – …
MANON. – Je dois quitter mon studio
  dans une semaine. Je cherche
  mais je ne trouve rien !
BRIGITTE. – …

Loue studio, 25 m²
clair, calme au ...z
de-chaus..e.
Disponible le 15/07
700 + charges.

11. **Lisez ces dialogues et trouvez d'autres répliques pour les répliques indiquées.**

Dialogue 1. Répliques 2 et 3

1. – Bonjour, madame Cochard. Vous avez l'air préoccupée. Ça ne va pas ?

2. – Ça ne va pas. Je suis au chômage.

3. – Ah, je vous comprends.

Dialogue 2. Répliques 1, 5 et 6

1. – Alors, Valérie, quoi de neuf ?

2. – Ça ne va pas bien.

3. – Mais qu'est-ce qu'il y a ?

4. – Mon allergie au pollen est revenue. Je ne peux pas aller à la campagne, me promener dans les parcs… je dois rester enfermée chez moi !

5. – Ah, ma pauvre ! Mais il y a des traitements pour ça ?

6. – Oui, mais c'est toujours pénible !

DES FORMES — Rien, quelque chose

> **Quelque chose** indique la quantité, **rien** exprime l'absence de quantité.
> **En grammaire, on les appelle** pronoms indéfinis :
> *Rien ne manque. Ce n'est rien.*
> *Quelque chose ne va pas. Vous avez besoin de quelque chose ?*

12. Observez.

a. Je ne dis rien !
b. Nous devons acheter quelque chose ?
c. On a quelque chose à te dire.

d. Il ne s'intéresse à rien.
e. Tu vois quelque chose ?
f. Non, je ne vois rien.

	Oui	Non
1. *Rien* a un sens négatif.	❑	❑
2. Dans une phrase négative, *rien* est à la place de *pas*.	❑	❑
3. *Quelque chose* a un sens négatif et positif.	❑	❑
4. *Quelque chose* est dans une phrase affirmative.	❑	❑

GRAMMAIRE

Rien indique une quantité nulle. Il est sujet ou complément de phrases négatives.
Rien ne l'intéresse. (sujet)
Il ne demande rien. (complément)

Quelque chose indique un seul objet de manière non définie.
Il est sujet ou complément de phrases affirmatives.
Quelque chose te préoccupe ? (sujet)
Dis quelque chose ! (complément)

13. Transformez ces phrases, d'après les exemples.

Exemple : Vous désirez quelque chose ? → *Vous ne désirez rien ?*
Rien ne change ici. → *Quelque chose change ici.*

1. Je pense à quelque chose.

2. Vous ne prenez rien ?

3. Il fait quelque chose d'intéressant en ce moment.

4. Tu manges quelque chose ?

5. Nous n'avons rien pour toi.

6. Vous pensez à quelque chose ?

14. Composez six phrases au présent avec *ne... rien*, à partir du tableau.

Exemple : Vous n'entendez rien ?

Vous Hugo Tu	ne... rien	comprendre demander entendre ajouter

« *Vous n'entendez rien ?* »

Écrire

> Vous connaissez des formes du verbe écrire, comme : *écrivez, vous écrivez.*
> Voici sa conjugaison.

CONJUGAISON

Écrire

Présent	Impératif	Participe passé	Passé composé	Conditionnel
J'écris	Écris	Écrit	J'ai écrit	J'écrirais
Tu écris	Écrivons		...	...
Il/Elle écrit	Écrivez			
Nous écrivons				
Vous écrivez				
Ils/Elles écrivent				

Au présent, quelles sont les bases d'*écrire* ? ❑ éc- ❑ écr- ❑ écriv- ❑ écri-
Quelles sont les formes qui ont le même son ?

15. Complétez par les formes du verbe *écrire,* d'après les indications.

1. Je ... un mot à mon frère pour sa fête. C'était hier. (passé composé)

2. Tu ... ce mot comment ? (présent)

3. ... et lisez ce texte. (impératif)

4. Tu sais, je ... bien une carte à Julien, mais j'ai perdu son adresse. (conditionnel)

5. Victor Hugo ... ce poème en 1830. (passé composé)

6. Mes filles ... peu. (présent)

Du pluriel

> Vous connaissez déjà des noms et des adjectifs qui n'ont pas le pluriel attendu en -s :
> *journal/journaux, cheveu/cheveux, œil/yeux, national/nationaux...* (*Alors ?* niveau A1, unité 7)

GRAMMAIRE

En général, voici les noms et les adjectifs qui ont le pluriel en -x :

• **en -eau**	le tableau	les tableaux
	le bureau	les bureaux
	nouveau	nouveaux
• **en -(o)eu**	le cheveu	les cheveux
	le vœu	les vœux
• **en -al**	l'hôpital	les hôpitaux
	le journal	les journaux
	médical	médicaux
Mais	le festival	les festivals

16. **Mettez les noms soulignés au singulier ou au pluriel, selon le cas.**

1. Il est en train de feuilleter <u>les journaux</u>, comme d'habitude.

2. Je regarde <u>ce tableau</u> de loin. C'est mieux !

3. Ouverture <u>des bureaux</u> : 8 h 30 – 16 h 00.

4. Regarde <u>ces manteaux</u> dans la vitrine ! C'est chic !

5. Dis, <u>quels jeux électroniques</u> aimes-tu ? J'ai un cadeau à faire...

6. Tu as vu <u>le nouveau collègue</u> ?

> **Se soigner, s'excuser, se renseigner, s'appeler...**

GRAMMAIRE

Les verbes comme se soigner, s'appeler, s'excuser **sont des** verbes pronominaux. **Ils se conjuguent avec le pronom personnel objet** se **à la troisième personne du singulier et du pluriel.**

17. **Voici la conjugaison de** *se soigner*. **Observez la conjugaison et la place du pronom personnel.**

GRAMMAIRE

Présent	Je me soigne	**À l'impératif, les pronoms sont derrière le verbe, avec la forme** moi, toi, nous, vous.
	Tu te soignes	
	Il/Elle/On se soigne	**Impératif** Excuse-moi Soigne-toi
	Nous nous soignons	Excusez-nous Soignez-vous
	Vous vous soignez	
	Ils/Elles se soignent	

18. **Complétez avec les verbes, d'après les indications.**

1. Le prénom de ma sœur ? Elle ... Laurence. (s'appeler)

2. ... au secrétariat, là, à droite, monsieur. (se renseigner, impératif)

3. Paul, ... mais mon train est parti en retard. (s'excuser, impératif)

4. ..., monsieur ! Je ne suis pas Robert Étienne. (se tromper)

5. Moi ? ... toujours à sept heures. (se réveiller)

6. Vous ... sur les horaires des trains ? (se renseigner, présent)

DES SONS — Le son [g]

| En français, il y a le son [g] comme Guillaume.

19. Écoutez et cochez les mots avec le son [g].

1. ☐   2. ☐   3. ☐   4. ☐   5. ☐   6. ☐

20. Écoutez et répétez.

1. Guillaume n'a pas l'air en forme.

2. Il est un peu angoissé. Ça se comprend.

3. Son asthme s'est aggravé, malheureusement.

4. La conséquence, c'est qu'il doit arrêter le sport. C'est pénible pour lui !

5. Maxime le rassure. Il lui dit que ça se soigne.

6. Guillaume est sensible aux signes d'amitié de Maxime. C'est ça, les copains !

21. Écoutez à nouveau et indiquez les groupes rythmiques par /.

Exemple : Guillaume / n'a pas l'air en forme.

22. Activité du groupe classe :

Imaginez une réplique de Guillaume ou de Maxime (équivalente aux répliques de la conversation, p. 106). Vous l'écrivez au tableau : respectez le rythme, l'intonation… Par exemple : Maxime (réplique 1) : – Guillaume, tu ne vas pas bien ?

Et maintenant, à vous !

23. Imaginez et jouez les conversations.

Chère mademoiselle Liu MENGMENG,

Conformément au contrat de bail qui nous lie depuis le 1er juillet 2003, vous trouverez ci-joint la notification d'augmentation de loyer…

A - Annie Vidal est préoccupée. Sa fille Éléonore (15 ans) veut arrêter ses études. Elle parle de cela à Corina, une vieille amie.

ANNIE.   – Alors, Corina, quoi de neuf ?

CORINA. – …

B - Liu est étudiante. Elle loue un studio. Le propriétaire du studio augmente le loyer (de 500 € à 650 €). Son amie Lucie lui téléphone.

LUCIE. – Allô, Liu ? C'est Lucie. Ça va ?

LIU.   – …

C - Vous êtes étudiant(e) en France. Votre bourse est supprimée à partir de septembre prochain.
Un ami français vous appelle.

Espoir : une molécule anti-tabac

○ **24.** **Écoutez l'enregistrement. C'est une émission radiophonique.**

1. Il s'agit : ❑ d'un jeu ❑ d'une interview ❑ d'un débat

2. Le sujet concerne : ❑ un médicament contre le tabac ❑ une loi sur le tabac
❑ le prix des cigarettes

3. Qui répond aux questions ? ❑ Un fumeur. ❑ Un médecin. ❑ Un passant.

○ **25.** **Écoutez à nouveau.**

1. À quoi sert ce nouveau médicament ?

2. Où se fixe cette nouvelle molécule ?
❑ Dans le sang. ❑ Dans le cœur. ❑ Dans le cerveau.

3. Qu'est-ce qu'elle bloque ?

4. Est-ce que ses effets sont immédiats ?

5. Quelle est l'impression des fumeurs ?
❑ De fumer. ❑ D'avoir fumé.

6. Tous les fumeurs guérissent-ils ?

7. *Un espoir pour des millions de fumeurs...* D'après le contexte et le ton de la voix
du journaliste, *espoir* a : ❑ un sens positif ❑ un sens négatif

L'espoir (*esperanza*, en espagnol, *speranza*, en italien)
veut dire : *penser que l'avenir est positif*.
Comment dit-on *espoir* dans votre langue ?

8. Vous connaissez le mot *indépendance*.
Que veut dire alors *dépendance à la nicotine* ?

> En France, depuis la loi
> de février 2007, il est interdit
> de fumer dans les lieux publics.
>
> Qu'en pensez-vous ?
> Et chez-vous ?

DES LETTRES | **Les lettres g + a/o/u, g + consonne, gu + i/e**

ORTHOGRAPHE

En français les lettres
g + a, o, u, **comme :** gare,
g + consonne, **comme** grand   **notent le son** [g].

Mais g + n, **comme** montagne, **notent le son** [ɲ] : [mɔtaɲ].

○ **26.** **Écoutez et complétez les mots. Notez-les dans le tableau.**

1. Soi...er   4. Le si...e

2. ...érir   5. La ...erre

3. La ci...arette 6. ...raduel

	g + a, o, u	g + consonne	gu + i, e	g + n
[g]	...	...	...	...
[ɲ]	...	...	...	...

Psychotest

QUEL(LE) AMI(E) ES-TU ?

Pour le savoir, réponds à ces questions.

1 **Ton/ta meilleur/e ami/e te dit tout, même ses secrets. Est-ce que tu es capable de les garder ?**

A Oui, bien sûr.

B Je parle seulement pour l'aider.

2 **Il est tard. Elle/Il t'envoie un SMS, mais ton téléphone est coupé.**

A Je le/la rappelle le soir même.

B Si je suis fatigué/e, je le/la rappelle le jour suivant.

3 **Il/Elle a une nouvelle veste horrible ! Il/Elle te demande ton avis.**

A Je ne dis pas ouvertement la vérité.

B Je dis que la veste ne me plaît pas du tout.

4 **Il/Elle a perdu son portable et il/elle part en week-end. Qu'est-ce que tu fais?**

A Je prête mon portable à mon ami/e.

B Je dis que je ne peux pas lui prêter mon portable, parce que j'attends un appel important.

5 **Un/e ami/e, c'est pour la vie. Qu'est-ce que tu en penses ?**

A Je pense que c'est vrai.

B Je ne sais pas. Les personnes changent avec le temps.

Résultats

Majorité de réponses A : Vous êtes un/e vrai/e ami/e. Votre amitié a des bases très solides.

Majorité de réponses B : Pour vous, l'amitié, c'est important. Mais vous tenez à votre autonomie et parfois votre ami(e) peut être déçu(e).

27. Observez et lisez.

1. Le document est constitué : ❏ de lettres   ❏ d'un test   ❏ d'une interview

2. Le sujet est :   ❏ l'amitié   ❏ l'utilisation du portable   ❏ la mode

28. Lisez à nouveau.

1. 1re question.
   Un *secret* est une information à diffuser ou non ?
   Chercher dans le texte l'équivalent de *ne pas diffuser un secret* : ...

2. 2e question
   Le téléphone est coupé signifie que :
   ❏ on peut répondre   ❏ on ne peut pas répondre

3. 3e question
   (Dire, parler) ouvertement signifie :
   ❏ de manière claire   ❏ de manière indirecte   ❏ de manière confuse

4. 4e question
   Quelle réponse est une excuse : A ou B ?

5. 5e question
   Soulignez la phrase qui signifie : *l'amitié dure toute la vie.*

Faites le test, comptez vos réponses.
Quel(le) ami(e) êtes-vous ?

En France, les valeurs de l'amitié sont ...
Et chez vous ?

Salut, Romain !

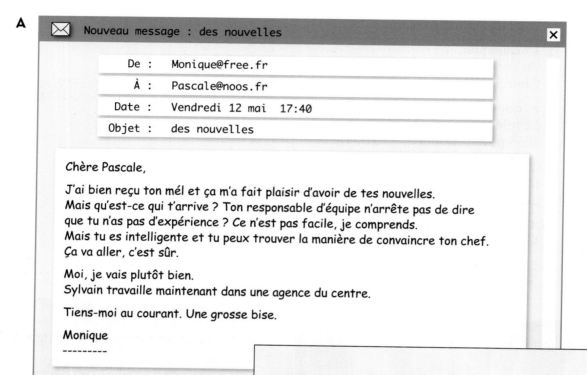

A

✉ Nouveau message : des nouvelles ✖

De :	Monique@free.fr
À :	Pascale@noos.fr
Date :	Vendredi 12 mai 17:40
Objet :	des nouvelles

Chère Pascale,

J'ai bien reçu ton mél et ça m'a fait plaisir d'avoir de tes nouvelles.
Mais qu'est-ce qui t'arrive ? Ton responsable d'équipe n'arrête pas de dire
que tu n'as pas d'expérience ? Ce n'est pas facile, je comprends.
Mais tu es intelligente et tu peux trouver la manière de convaincre ton chef.
Ça va aller, c'est sûr.

Moi, je vais plutôt bien.
Sylvain travaille maintenant dans une agence du centre.

Tiens-moi au courant. Une grosse bise.

Monique

B

Salut, Romain !

C'est sympa de recevoir des nouvelles d'un vieux
copain ! Surtout quand les nouvelles sont
bonnes. Alors, tu pars donc en Chine pour un
mois de vacances, c'est super !
Malheureusement, je ne peux pas accepter
ton invitation, parce que... je n'ai plus de jours
de congé.
Pour le reste, rien de spécial. Je fais toujours du
yoga, après le travail et ça me fait du bien.
Je t'embrasse.

Moustafa

29. **Lisez ces lettres et répondez.**

1. Ce sont des lettres :
   ❏ à un(e) ami(e)
   ❏ à un journal
   ❏ à une société

2. Ce sont des réponses ?   ❏ Oui.   ❏ Non.

3. Analysez le plan des deux lettres et complétez le tableau.

	A	B
Prendre contact	...	Salut, Romain !
Accuser réception d'un courrier / exprimer des sentiments	J'ai bien reçu ton mél et...	...
Répondre au sujet du problème évoqué dans la lettre reçue	...	Tu pars donc en...
Exprimer ses sentiments / rassurer	Ce n'est pas facile, je...	
Donner de ses nouvelles (famille, travail, loisirs, etc.)	...	Pour le reste, rien de...
Prendre congé	...	...

4. Repérez le verbe correspondant à : *avoir des relations de sympathie avec quelqu'un.*

30. **Mettez les parties de ce mél dans l'ordre.**

Tu dis qu'Hugo ne parle pas encore. Mais ça va aller. Marc était comme lui à deux ans et maintenant il n'arrête jamais de parler !

Nous venons de rentrer de vacances et j'ai vu ton message. C'est sympa d'avoir pensé à moi.

C'est pénible pour toi, je comprends, mais ne panique pas.

Ma chère Manon,

Chez moi, tout le monde va bien. Cette année, je suis un cours d'espagnol. L'ambiance de la classe est chaleureuse.

J'espère vous voir bientôt.
Une grosse bise.
Jade

DES FORMES — Ne... plus, ne... jamais, ne... rien, ne... personne

Vous connaissez la négation avec ne... pas : *Ça ne va pas.*

ne... rien : *Ce n'est rien de grave.*

Rien ne l'intéresse.

31. Lisez et observez d'autres mots négatifs.

a. Quoi ? Il ne travaille plus chez *Kokia* ?
b. Il aime marcher. Il ne prend jamais le bus.
c. Je ne rencontre personne dans cet immeuble !

	Oui	Non
1. Dans les phrases à la forme négative, le premier mot négatif est *ne*.	❑	❑
2. *Plus, jamais, rien, personne* occupent la place de *ne*.	❑	❑

GRAMMAIRE

Vous avez déjà vu que rien s'oppose à quelque chose :
– Tu veux quelque chose ?   – Non, merci, je ne veux rien.

Plus indique un changement dans le temps. Il peut s'opposer à encore :
– Il fume encore ?   – Non, Il ne fume plus.

Jamais s'oppose à toujours :
– Lui, il sort toujours, moi, je ne sors jamais.

Personne s'oppose à quelqu'un :
– Vous avez vu quelqu'un ?   – Non, on n'a vu personne.

Personne est un pronom indéfini pour les êtres humains, comme rien pour les choses.
Il est complément ou sujet de phrases négatives.
Il ne veut voir personne. (complément)   Personne n'a téléphoné. (sujet)

Personne s'oppose à quelqu'un. Quelqu'un indique une seule personne de manière indéfinie :
Quelqu'un frappe à la porte.

32. Mettez ces phrases à la forme négative.

Exemple : Vous voyez encore les voisins ? → *Vous ne voyez plus les voisins ?*

1. Ophélie a toujours faim.
2. Tu sors encore avec Jean ?
3. Vous avez invité quelqu'un pour ce soir ?
4. Alors, tu achètes quelque chose ?
5. J'écris toujours à mes amis.
6. Mon père fait partie d'une association.

Et maintenant, à vous !

33. Sur le modèle des courriers (ou mél) à un(e) ami(e), p. 116, écrivez des méls, à partir des situations suivantes.

1. Thomas, professeur de français en Suède, reçoit un mél de son frère, Mathieu : il lui dit qu'il va bien et lui annonce sa visite à Uppsala. Thomas est très content.

2. Audrey répond à un mél d'Inès, son amie qui fait ses études en Belgique : Inès souffre souvent de mal de tête et cela la préoccupe.

Alors, votre français ?

COMMUNIQUER

À l'oral, je peux :

❏ interroger quelqu'un sur son état d'esprit — *Qu'est-ce qui t'arrive...*

❏ exprimer la sympathie/ rassurer — *Je comprends.*
Ça va aller.

À l'écrit, je peux :

❏ écrire une lettre à un ami — *Salut, Romain !*
C'est sympa de recevoir des nouvelles...

GRAMMAIRE

Je sais utiliser :

Les verbes

❏ écrire : présent, impératif, participe passé, passé composé, conditionnel — *Il écrit.*
Elle a écrit.
écrit
J'écrirais.

❏ pronominaux comme s'excuser, se soigner : présent, impératif — *Je me soigne. Nous nous excusons.*
Soigne-toi bien !

La syntaxe

❏ la phrase négative :
Ne... plus/jamais
Ne... rien/personne — *Il ne fume plus, je ne sors jamais, on n'a vu personne...*
Je n'ai rien entendu.

Les noms / les adjectifs

❏ pluriel irrégulier — *Hôpital/hôpitaux*
Bureau/bureaux
Nouveau/nouveaux
...

Les pronoms

❏ indéfinis
rien et *quelque chose*
quelqu'un — *Rien ne manque. Vous avez besoin de quelque chose ?*
Vous avez-vu quelqu'un ?

NOTIONS ET LEXIQUE

Je sais utiliser les mots concernant :

❏ La santé
une allergie
le mal de tête...

❏ Le travail
mal payé
précaire
le chômage

❏ L'argent
le crédit
le budget
le loyer

Concours de photos

Vous allez réaliser une activité collective qui ne concerne pas les langues mais l'image. Il s'agit d'organiser un concours de photos. Vous allez y travailler avec votre groupe classe ou d'autres classe de votre établissement.

● Étape préalable

Vérifiez que dans votre groupe une majorité d'étudiants peut faire des photos. Cherchez à savoir quel matériel ils ont pour cela. Vous pouvez sinon faire des montages (papiers différents, images de magazines, etc.).

● Première étape

Définissez les règles matérielles du concours :
- le format des photos. Le format 10 cm x 15 cm est un format ordinaire, mais des formats plus grands sont meilleurs (format maximum : A4)
- la couleur des photos : noir et blanc ou couleur
- avec ou sans retouches et effets, avec ou sans titre ou légende
- la date de remise des photos
- désigner le jury
- les critères de sélection pour la meilleure photo ou le meilleur montage : cadrage, originalité, qualité...

● Deuxième étape

C'est le point le plus important : définir le sujet des photos à faire.
Il y en a de plusieurs types : portraits, paysages, photos sportives, photos de reportage,...
Les thèmes sont infinis : vous pouvez choisir des photos de fleurs, de portes, de rues, de personnes en uniformes, d'enfants, de gens en vélo, de vos grands-parents...
Le thème peut aussi être en rapport avec le français : par exemple, photos de publicités, affiches, enseignes où il y a des mots français ...
Cette discussion est collective. Chacun propose une idée de thème..

● Troisième étape

Vous rédigez le texte de l'affiche d'appel à concours avec les informations nécessaires.
Vous mettez cette proposition d'affiche en page, vous l'illustrez (par groupes de 4 élèves).
Vous désignez un jury technique (3 personnes).
Vous organisez l'affichage.

● Quatrième étape

Le jury sélectionne les meilleures photos et élit le gagnant.
Vous organisez l'exposition des photos retenues, dans une salle, dans l'entrée de votre établissement (pas de noms d'auteur des photos). Vous pouvez même les mettre sur internet et créer un groupe de communication (ex : yahoo groupe etc.).

À vous et ouvrez l'œil !

Production écrite

PRENDRE DES NOUVELLES DE LA SANTÉ D'UN AMI

Un(e) ami(e) français(e) a eu une forte grippe (mal à la gorge, rhume, fièvre). Vous écrivez un mél pour prendre des nouvelles et aussi pour donner de vos nouvelles.

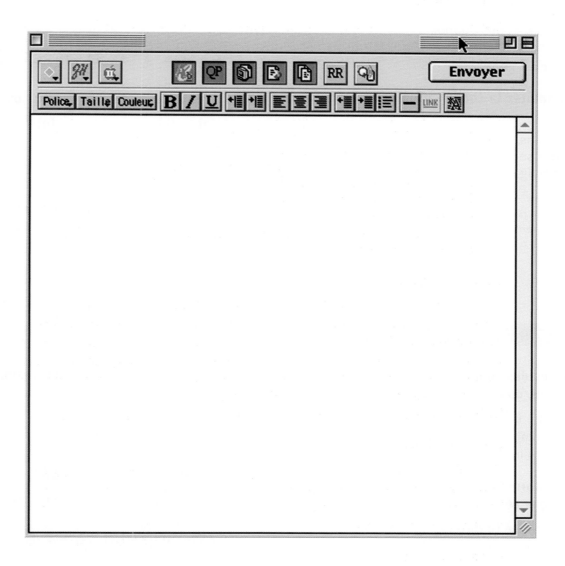

DES CONVERSATIONS   (5 points)

1. **Complétez la conversation entre Paul et sa jeune collègue qui vient d'arriver.**

– ...
– Bonjour, je m'appelle Naïma Kafiz.
– ...
– Oui, oui, c'était à la Comédie française. Vous étiez assis à côté de moi.
– ...
– Merci, c'est gentil.

2. **Complétez la conversation entre Marc et Guy.**

Marc, 48 ans, représentant de commerce, vient de perdre son emploi. Son entreprise est délocalisée en Bulgarie. Il parle de cela à son ami, Guy.
Guy – ...

Vous avez : 5 points. Très bien !
Vous avez moins de 3 points : revoyez les pages 90, 91, 92 et 106, 107, 108 du livre.

DES FORMES   (3 points)

3. **Faites des comparaisons à l'aide de plus/moins/aussi... que.**

1. Elle est > brillante/son collègue
2. Nous sommes < préoccupés/hier
3. Ils sont = insupportables/d'habitude

4. **Transformez ces phrases : remplacez rien par quelque chose et vice versa.**

1. Je n'ai rien à te dire !
2. Tu as vu quelque chose, là ?
3. Tu achètes quelque chose au marché ?

5. **Mettez les mots entre parenthèses au pluriel.**

1. J'écris ... pour le nouvel an. (le vœu)
2. Nos ... sont belges. (nouvel ami)
3. Mais ... sont fermés à sept heures du soir ! (le bureau)

6. **Complétez par se soigner, s'appeler, se renseigner.**

1. Beaucoup de maladies ... maintenant. (présent)
2. S'il te plaît... dimanche vers dix heures. (impératif, je)
3. Tu ... à la mairie, s'il te plaît ? (présent)

Vous avez : 3 points. Très bien !
Vous avez moins de 1,5 point : revoyez les pages 94, 95 et 109, 110, 111 du livre.

DES SONS ET DES LETTRES   (3 points)

7. **Écoutez et cochez le son [g] ou [k].**

	[g]	[k]		[g]	[k]
1.	☐	☐	4.	☐	☐
2.	☐	☐	5.	☐	☐
3.	☐	☐	6.	☐	☐

8. **Écoutez et écrivez les mots manquants.**

1. C'est une ... histoire.   2. J'ai le ... qui bat.
3. On s'est rencontré ... ?

Vous avez : 3 points. Très bien !
Vous avez moins de 1,5 point : revoyez les pages 96 et 112 du livre.

DE L'ÉCOUTE   (3 points)

9. **Écoutez cette information radiophonique et répondez.**

1. Cette information concerne :
   ☐ la politique   ☐ l'économie   ☐ la santé

2. On étudie les maladies :   ☐ du cœur
   ☐ liées à l'obésité   ☐ liées à la digestion

3. Combien de personnes sont suivies à Marseille ?

4. Comment va être le régime alimentaire à l'avenir ?
   ☐ équilibré   ☐ personnalisé   ☐ varié

5. Quel régime l'équipe de Marseille a proposé à une certain nombre de personnes ?

6. Ce régime est à base de ... .

Vous avez : 3 points. Très bien !
Vous avez moins de 1,5 point : revoyez les pages 114 du livre.

10. Lisez et répondez.

Semaine du 10 au 15 septembre

SCORPION
Du 23 octobre au 22 novembre

Vos amours
Vous êtes en profonde mutation affective, alors vous ne devez plus attendre : dites à l'homme/la femme de votre vie que vous l'aimez.

Votre quotidien
C'est un mois dynamique qui s'ouvre à vous : nouvelles responsabilités professionnelles et nouveaux projets.

Votre santé
C'est une période favorable. Vous êtes au top : gymnastique, vitamine et régime équilibré. Continuez comme ça.

La lune et vous
La lune vous invite à vous exprimer : écrivez, faites de la peinture, de la danse…

1. Cet horoscope s'adresse aux personnes nées entre le … et le … .
2. Ce sont les prévisions et les conseils pour quelle période ?
3. Quel conseil donne-t-on pour la vie sentimentale ?
4. Quelle partie se rapporte au travail ?
5. Est-ce que la santé du signe du Scorpion est bonne ?
6. Que dit la lune aux lecteurs « Scorpion » ?

Vous avez : 3 points. Très bien !
Vous avez moins de 1,5 point : revoyez les pages 98 et 99 du livre.

11. Écrivez un mél pour exprimer la sympathie et réconforter Sabine.

Sabine et Emmanuelle ont travaillé ensemble pendant trois ans. Mais Sabine est maintenant transférée dans une autre ville. Elle n'est pas bien. Elle écrit à Emmanuelle qui lui répond.

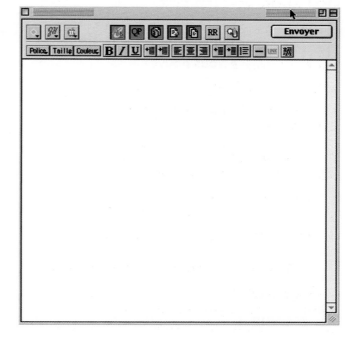

Vous avez : 3 points. Très bien !
Vous avez moins de 1,5 point : revoyez les pages 116, 117 et 118 du livre.

FAIRE SON DICTIONNAIRE PERSONNEL

Stratégies pour apprendre le lexique

Combien de fois on s'est rendu compte qu'un mot nous manquait. Et il y a tellement de mots ! Il faudrait donc essayer déjà de ne pas oublier le lexique que nous rencontrons pendant les cours, mais aussi de retenir les autres mots que nous cherchons dans le dictionnaire ou qui attirent notre attention à l'extérieur de la classe. Pour cela, un dictionnaire personnel peut être utile.

Comment l'organiser ?

- Prenez un répertoire. Si vous êtes fort en informatique, vous pouvez aussi faire votre dictionnaire sur votre ordinateur.

- Vous ne pouvez pas tout noter, il faut faire une sélection et cela dépend de chaque apprenant (de ce qu'il sait déjà, de ce qui lui semble utile...).

- Notez les mots :
- que vous rencontrez dans les conversations, dans les textes du manuel ;
- que vous voyez dans la rue ou à la télé (publicité, titres de film, presse, Internet...).

Comment les classer ?

- Vous pouvez enregistrer ces mots d'une manière traditionnelle, comme dans :
  mec, s. m, fam.

- Si la prononciation vous intéresse, il faut noter aussi la transcription phonétique, comme dans Des sons et Des lettres de votre manuel :
  mec, s. m, [mɛk]

- Vous pouvez aussi mettre la traduction dans votre langue ? À vous de décider !
  mec, s. m, [mɛk], ... (traduction)

- Un exemple est très utile :
  mec, s. m, [mɛk], ... (traduction) : *Tu connais ce mec ?*

- Vous pouvez aussi « personnaliser » votre dictionnaire avec des dessins ; trouver des astuces pour mémoriser ; associer les mots par domaine :
  mec, s. m, [mɛk], ... (traduction) : *Tu connais ce mec ?*
  homme
  humain
  humainement

- ou bien avec des mots contraires ou opposés :
  mec, homme
  meuf, femme : *Elle, c'est la meuf de Rafik ?*

▶ **Un dictionnaire personnel doit être enrichi au fur et à mesure que vous faites des expériences plus larges de la langue. Il vous accompagne tout au long de votre apprentissage.** ◀

MODULE 4

Récits

Contrat d'apprentissage

UNITÉ 7 C'est qui ? C'est comment ?

(*Découvertes*) Les classes sociales

INTERACTION

DES CONVERSATIONS
▶ décrire quelqu'un

RÉCEPTION ORALE

DE L'ÉCOUTE
▶ comprendre un bulletin météo

RÉCEPTION ÉCRITE

DE LA LECTURE
▶ comprendre une courte interview

RODUCTION ÉCRITE

DES TEXTES
▶ écrire des notices biographiques

UNITÉ 8 Et après ? Et après ?

(*Découvertes*) La mémoire et l'histoire

DES CONVERSATIONS
▶ raconter une anecdote, une histoire

DE L'ÉCOUTE
▶ comprendre une interview à la radio

DE LA LECTURE
▶ comprendre des faits divers

DES TEXTES
▶ écrire des brèves

PROJET : Organiser une conférence

Découvertes

Les classes sociales

LES CLASSES MOYENNES

Les Trente Glorieuses :

Pendant les années 1960-1990, le niveau de vie des Français a régulièrement augmenté et la différence entre les salaires des cadres et des ouvriers s'est réduite. En même temps, le développement économique a favorisé la promotion sociale des personnes les plus qualifiées : elles ont formé une classe moyenne solide et stable, confiante dans l'avenir.

L'équilibre menacé

Au début du XXIe siècle, cet équilibre social se modifie. Les jeunes diplômés de l'université ont du mal à trouver leur place aux mêmes conditions que leurs parents (surtout quand les parents viennent d'une famille d'ouvriers ou d'agriculteurs). Le chômage reste important (11 % à 9 % ces dernières années), les salaires n'augmentent pas, les emplois à temps déterminé (3 mois, 6 mois...) et à temps partiel se diffusent. Mais aussi, l'augmentation des loyers dans les villes poussent des citadins vers les banlieues. Tout cela fragilise beaucoup les classes moyennes traditionnelles. Pourtant, la croissance économique semble revenir. Les classes moyennes pourraient bénéficier de cette tendance et retrouver une certaine stabilité.

[D'après Atlas des Français aujourd'hui, « Le puzzle des classes moyennes », L. Duboys Fresney, 2006, Editions Autrement et Atlas des nouvelles fractures sociales en France, « Une France toujours populaire », C. Guilluy et C. Noyé, 2006, Editions Autrement]

1. Quelle évolution sociale ?

1. On parle de :
   ❏ la société française   ❏ l'industrie française   ❏ la France en Europe

1er paragraphe

2. Les classes moyennes sont les classes sociales :
   ❏ hautes   ❏ basses   ❏ du milieu
   Quand les classes moyennes se sont-elles formées ?

3. *Les Trente Glorieuses* ce sont les années ... .
   Ce sont de bonnes années ou de mauvaises années ?

2e paragraphe

4. Quand les classes moyennes sont-elles devenues plus fragiles ?

5. Quelles difficultés les jeunes rencontrent-ils en particulier ?

6. Pour quelles raisons les cadres ont-ils une situation sociale moins stable ?

7. Quels types d'emplois remplacent souvent un travail à durée indéterminée
   et à temps complet ? Les emplois à ... et ... .

8. Quelles sont les prévisions pour les prochaines années ?

9. Des travailleurs qualifiées qui exercent une fonction de direction et d'encadrement
   du personnel dans une entreprise sont des ... .

> **Est-ce que ces problèmes
> de la société française
> vous surprennent ?**
>
> **Et chez vous, est-ce que l'on
> observe des tendances
> semblables dans la société ?**

1960

2005

Il est jeune

2. Écoutez et lisez.

A.

MAGALI. – Tu sais, cet acteur… Renoir… Renard… machin, quoi.

CÉLINE. – Qui ? Je ne vois pas.

MAGALI. – Mais, si. Le grand, athlétique, la cinquantaine.
Il a eu beaucoup de succès même aux États-Unis.
Il joue dans les films de Luc Besson.

CÉLINE. – Ah, tu veux dire Réno ? Jean Réno ?

MAGALI. – Oui, c'est ça. Et ben, il habite à côté de chez moi !

B.

KARIM. – Bonjour, madame. Je cherche un ami,
il s'appelle Clément. C'est à quel étage ?

LA CONCIERGE. – Clément ? Il y a deux Clément qui habitent ici.

KARIM. – Euh… Je ne connais pas son nom. Il est jeune.
Il a un scooter rouge.

LA CONCIERGE. – Ah, oui. C'est Clément Perrin, alors.
Deuxième étage, gauche.

KARIM. – Ah ! Merci beaucoup.

DANS VOTRE LANGUE,
QU'EST-CE QUE VOUS DITES
POUR DÉCRIRE
QUELQU'UN ?

È il cugino
di Moussa,
è atletico, ha una
trentina d'anni. *

* En italien : C'est le cousin de Moussa, il est athlétique
et a une trentaine d'années.

3. Écoutez encore et répondez.

Dans les deux conversations, on parle :
- ❏ d'objets
- ❏ de personnes
- ❏ d'événements

4. Conversation A. Écoutez à nouveau.

1. Les personnes qui parlent sont :
   - ❏ deux amies
   - ❏ une caissière et une cliente
   - ❏ une patiente et un médecin

2. Elles parlent :
   - ❏ d'un chanteur
   - ❏ d'un acteur
   - ❏ d'un ami

3. Qui décrit ?
   - ❏ Magali.
   - ❏ Céline.

4. Cochez les qualités correspondantes
à la personne décrite.
   - ❏ très jeune ❏ petit
   - ❏ très âgé ❏ de taille moyenne
   - ❏ d'âge moyen ❏ grand

Conversation B. Écoutez à nouveau.

1. C'est un jeune homme qui parle :
   - ❏ à sa mère ❏ à son professeur
   - ❏ à la concierge d'un immeuble

2. Il cherche :
   - ❏ un copain ou ❏ un scooter ?

3. L'ami de Karim s'appelle :
   - ❏ Laurent ❏ Clément ❏ Florent

4. Il habite … étage, … .

Alors ?

- Pour décrire Jean Réno, Magali dit : …
- Pour décrire son copain, Karim dit : …
- Pour remplacer le nom de l'acteur qu'elle a oublié, Magali
  utilise : *Tu sais…*
- Écoutez à nouveau et jouez les conversation.

DES MOTS — Portraits

Noms :
le visage, les yeux, la bouche, les lèvres (f.), les joues (f.), le sourire
la taille (**petite, moyenne, grande**), le poids, la barbe, la moustache

Adjectifs :
grand, petit, mince, maigre, gros
blond, brun, roux/rousse (**cheveux**)
(**des cheveux**) bouclés, frisés, raides, longs, courts
chauve, barbu, moustachu

Verbes :
mesurer, peser, faire + **nom**
Elle mesure 1,65 m.
Elle fait 1,65 m.
Elle pèse 55 kg.

5. **Trouvez le bon mot !**

1. ... s'ouvrent quand on parle.
   ❏ les yeux   ❏ les oreilles   ❏ les lèvres

2. ... deviennent rouges, quand il fait froid.
   ❏ les joues   ❏ les lèvres   ❏ les dents

3. Les hommes ont parfois au dessus
   des lèvres des ... .

4. Les cheveux qui ne sont pas raides
   sont ... ou frisés.

5. Un homme qui a une barbe est ... .

6. Elle n'est pas blonde, elle n'est pas
   brune, elle est ... .

6. **Décrivez votre acteur préféré.**

1. Votre acteur préféré a :
   les cheveux : ...
   les yeux : ...
   la taille : ...

2. Le détail de son visage que
   vous aimez le plus, c'est ... .

DES RÉPLIQUES | Décrire quelqu'un

COMMUNICATION

Pour décrire quelqu'un, on décrit :

le physique, le caractère
- Il est de taille moyenne, il a les yeux verts, le nez pointu...
- Il est athlétique, musclé, sportif.
- Elle a l'air intelligente / vive / absente.
- Il/Elle est sensible / timide / gai(e) / calme / sérieux(euse)...

on donne :

l'âge
- C'est une blonde, agréable, intelligente, la trentaine...
- Elle doit avoir une trentaine d'années.
- Elle peut / pourrait avoir entre vingt-cinq et trente ans.

une particularité, introduite par qui / que
- C'est le jeune homme qui fait du droit.
- C'est la dame que j'ai vue rentrer tout à l'heure dans le magasin.

d'autres détails
- Il/Elle habite rue du château. (adresse)
- Il est employé / travaille à la Sécurité sociale. (métier)
- Elle a trois enfants.
  C'est le cousin de Loïc. (famille)
...

Pour remplacer un mot oublié ou inconnu, on utilise des mots « passe-partout » :

(pour une personne)
Tu sais, machin/e.../la personne (la dame, le monsieur...) qui habite au 5e.

(pour une chose)
Tu sais, ce truc qui était sur la table.
Tu sais, ce machin que Luc m'a prêté.

Attention ! *Machin/machine, truc* sont familiers.

---

7. **Décrivez Suzanne d'après la photo.**

Henri va chercher à la gare une amie de sa mère, Suzanne Courtier. Il ne la connaît pas.

HENRI.   – Maman, comment elle est madame Courtier ?
LA MÈRE. – Suzanne ?...

8. **Remettez les répliques dans l'ordre.**

– J'aime beaucoup cette journaliste... euh... qui présente le 20 heures de France 2.

– Oui, c'est ça, Sabrina Bouchard.

– Quelle journaliste ? Il y en a deux.

– Tu parles de Sabrina Bouchard ?

– Je veux dire la brune, avec un beau sourire, l'air sympathique.

9. **Continuez la conversation entre deux colocataires.**

– Tu as vu le nouveau voisin ?

– Quel voisin ?

– C'est le monsieur....

DES FORMES   (**Les adjectifs : au masculin et au féminin**)

Vous connaissez beaucoup d'adjectifs au masculin et au féminin.
Voici un tableau récapitulatif.

10. Observez et écoutez.

GRAMMAIRE

Adjectifs

Formes écrites

Masculin	Féminin	
/	-e	grand / grande
-e	-e	mince / mince
-er /-et	-ère/-ète	léger / légère, concret / concrète
-f	-ve	vif / vive
-on/-en	-onne/-enne	bon / bonne, moyen / moyenne
-os/-as	-osse/-asse	gros / grosse, gras / grasse

Au féminin, à l'oral, il y a une consonne de plus :
grand/grande [d], bon/bonne [n], gros/grosse [s]

Certains adjectifs se forment avec un suffixe, comme :
Amour   →   amour**eux** / amour**euse**
Japon   →   japon**ais** / japon**aise**
Mexique →   mexic**ain** / mexic**aine**

11. Cherchez la consonne qui indique le féminin à l'oral.

Petit	[t]	[d]	[z]		Blond	[t]	[d]	[z]
Heureux	[t]	[d]	[z]		Secret	[t]	[d]	[z]

Écoutez et vérifiez.

12. Essayez de former l'adjectif, masculin et féminin, à partir de :

1. Malheur   ...   ...   3. Amérique   ...   ...
2. Courage   ...   ...   4. France   ...   ...

GRAMMAIRE

Quelques adjectifs irréguliers ont deux formes au masculin singulier :

beau / bel, belle	C'est un bel enfant.
	Quel beau discours !
nouveau / nouvel, nouvelle	Maman, mon nouveau copain.
	C'est un nouvel immeuble.
vieux / vieil, vieille	Le vieil homme était fatigué.
	J'ai vu un vieux copain.

Quand utilise-t-on les formes *bel, nouvel, vieil* ?

13. Transformez les phrases, à partir des suggestions.
ma voisine, son copain, elle, ses amies, cette discussion
Exemple : *Ses amis ?* Ils sont tous jeunes et sportifs, comme lui.
       → *Ses amies ?* Elles sont toutes jeunes et sportives, comme elle.

1. *Sa copine ?* C'est une jeune femme brune, très dynamique.
2. *Il est amoureux.* Tu ne vois pas ?
3. *Mon voisin* est assez vieux. Il fête ses soixante-dix-neuf ans, demain.
4. *Ce problème* est sérieux.

Il fait beau, il neige

> **Avec les adjectifs** beau, mauvais, bon, doux, chaud, froid **et le verbe** faire,
> **on forme des** expressions de temps :
> *Qu'est-ce qu'il fait beau aujourd'hui !*
> *38 degrés ! Il fait trop chaud !*
>
> **Il y a aussi des verbes qui indiquent le** temps atmosphérique **comme** pleuvoir, neiger :
> *Il pleut tous les jours en fin d'après-midi !*
> *J'espère qu'il va neiger à Noël !*

14. Comparez ces phrases.

a. L'hiver a commencé. Il est particulièrement froid cette année.
b. L'hiver est arrivé. Il fait froid.

	Oui	Non
1. Dans la phrase a, **il** remplace *hiver*.	❏	❏
2. Dans la phrase b, **il** remplace *hiver*.	❏	❏

c. Éric vient d'arriver. Il a froid.
d. Le ciel est gris. Il va neiger.

	oui	non
3. Dans la phrase c, **il** remplace *Éric*.	❏	❏
4. Dans la phrase d, **il** remplace *ciel*.	❏	❏

15. D'après ces observations, les verbes comme *neiger, pleuvoir, faire froid / chaud / beau...* se conjuguent :

❏ seulement avec *il*

❏ avec *ils, elles, elle*

❏ avec *je, tu, il*

GRAMMAIRE

Les verbes qui indiquent le temps atmosphérique se conjuguent uniquement avec il.
Il ne remplace aucun mot. En grammaire, on dit verbes impersonnels.

Pleuvoir	Il pleut, ce matin. Il a plu, dimanche.	**Faire + adjectif**	Ici, il fait très beau ! Il a fait très beau, cet été.
Neiger	Regarde, il neige ! Il a neigé, cette nuit !		

16. Dites le temps qu'il fait.

1. En automne, ... beaucoup. (pleuvoir, présent)

2. Est-ce qu'... aujourd'hui ? (faire beau)

3. Hier, ... toute la journée. (neiger, passé composé)

4. Ouvre la fenêtre, s'il te plaît : ... . (faire chaud)

5. En avril, ... quinze jours d'affilée ! (pleuvoir, passé composé)

6. Qu'est-ce qu'... ! Allume le chauffage ! (faire froid)

> **Et chez vous,
> quel temps il a fait
> cette semaine ?**

Le verbe décrire

> Vous connaissez la conjugaison de : écrire (Unité 6).
> Décrire se conjugue de la même manière.

17. Lisez et répétez.

CONJUGAISON

Décrire			
Présent	Je décris Tu décris Il/Elle décrit Nous décrivons Vous décrivez Ils/Elles décrivent	**Participe passé**	Décrit
		Passé composé	J'ai décrit ...
		Conditionnel	Je décrirais ...
Impératif	Décris Décrivons Décrivez		

Au présent, quelles sont les bases de *décrire* ?

Répétez la conjugaison de *décrire*.

18. Complétez ces phrases par les formes d'*écrire* et de *décrire,* selon le sens.

1. Alors, Martine, ...-moi ton nouvel appartement.

2. Nous nous ... de longues lettres tous les jours.

3. Les enfants, ... correctement, sans oublier les accents.

4. Pendant les dernières vacances, il ... ses mémoires.

5. Pendant l'audience, le témoin ... l'accusé avec précision.

6. Je lui ... tout de suite un mél pour le prévenir de mon arrivée. Je pars demain.

DES SONS   Les voyelles nasales [ɑ̃], [ɔ̃], [ɛ̃]

Vous connaissez déjà les sons comme [ɑ̃], **grand**, [ɔ̃], **bon**, [ɛ̃], **plein**.

19. Écoutez et cochez quand vous entendez ces sons.

	[ɑ̃]	[ɔ̃]	[ɛ̃]
1.	❏	❏	❏
2.	❏	❏	❏
3.	❏	❏	❏
4.	❏	❏	❏
5.	❏	❏	❏
6.	❏	❏	❏

20. Écoutez et répétez. Indiquez les mots accentués.

Exemple : Maga**li** ne se souvient **pas** du nom d'un acteur con**nu**. **Ah !** la mé**moire** !

1. Céline ne comprend pas de qui elle parle. Ce n'est pas clair du tout.

2. L'acteur en question est grand, athlétique et il a une cinquantaine d'années.

3. À la description, Céline comprend qu'il s'agit de Jean Réno. Enfin !

4. Karim cherche son copain, Clément.

5. La concierge de l'immeuble lui demande le nom de Clément.

6. Finalement, elle comprend et elle indique à Karim à quel étage habite son ami.

21. **Activité du groupe classe**

Imaginez la suite de la conversation entre Magali et Céline (2 répliques). Un étudiant lit à haute voix. Respectez l'intonation, la prononciation, le rythme... À vous !

Et maintenant, à vous !

22. **Imaginez et jouez les conversations.**

A - Michèle, 16 ans, parle à une copine de son nouveau prof de français.

B - Eugène attend René, son cousin qui vit en Australie. Claire, la femme d'Eugène, l'a vu une seule fois à un mariage et elle a un souvenir très vague de lui... Son mari décrit Eugène.

EUGÈNE. – Claire, tu sais, je viens de recevoir un mél de René.
CLAIRE. – ...

C - Sacha vient de voir un film à la télé avec une actrice dont il a oublié le nom. Il en parle à Corinne.

SACHA. – Hier soir, j'ai vu un beau film. Tu sais avec... euh...

Comprendre un bulletin météo

Temps nuageux et humide

🔊 **23.** **Écoutez l'enregistrement.**

1. Ce bulletin météo concerne :
   ❑ la France   ❑ la moitié nord de la France
   ❑ le Sud de la France

2. Le temps annoncé est :
   ❑ plutôt beau   ❑ plutôt mauvais

🔊 **24.** **Écoutez à nouveau le bulletin.**

1. Quel temps fait-il en France ?

Dimanche, ...	...	Moitié nord, la région... et le...	...
Temps prévu	Orages...	...	... quelques éclaircies

2. Pour le jour suivant, on prévoit :
   ❑ une dégradation   ❑ le même temps   ❑ une amélioration

3. Les températures sont entre ... et ... degrés.

4. *Persister* signifie : *durer, ne pas changer.* Selon vous, que signifie *persistance d'un temps nuageux* ?

5. *L'anticyclone* est une zone de haute pression qui favorise le beau temps.
   D'où vient l'anticyclone annoncé ?   ❑ Des Canaries   ❑ Des Açores   ❑ Des Fidji

---

DES LETTRES   **Les lettres a, e, o, i, ai, ei, (i)e + m, n**

Vous connaissez les voyelles nasales [ɑ̃], [ɔ̃], [ɛ̃] et les lettres qui les notent.

🔊 **25.** **Écoutez et lisez. Soulignez les lettres correspondant au son [ɑ̃].**

1. Bulletin   3. Juin   5. Développement
2. Dimanche   4. Persistance   6. Région

🔊 **26.** **Écoutez et complétez les mots. Puis notez les mots dans le tableau.**

1. M... cop...   3. Un garç... intellig...t   5. Son cous... austral...
2. S... anc... collègue   4. Des vois... silenci...x   6. Un gr...d ami

	an/am, em/en	on/om	in/im, ain/aim, ein, (i)e
[ɑ̃]	...	...	...
[ɔ̃]	...	...	...
[ɛ̃]	...	...	...

Une étrangère en Île-de-France

Blonde, souriante, d'origine hongroise, Klara Csordas est chanteuse lyrique. Elle est arrivée en France il y a quinze ans. Elle vit maintenant à Crespières, un village près de Paris.

JOURNALISTE. – *Quel souvenir gardez-vous de votre arrivée en Île-de-France ?*
KLARA CSORDAS. – Le périphérique ! Avec mon mari, on a fait le tour complet de la ville avant de trouver la route. C'était le symbole de mon arrivée ici : il fallait que je trouve mon chemin !

JOURNALISTE. – *Comment ressentez-vous les gens d'ici, les Franciliens ?*
KLARA CSORDAS. – Avec eux, j'ai un sentiment absolu de liberté. Je suis étrangère mais je ne me sens pas jugée ou rejetée. J'aime la vie de quartier, la convivialité des petits commerçants. Au volant, je trouve les automobilistes rigolos : ils contournent les règles plutôt que de les appliquer bêtement. J'aime cette flexibilité et cette tolérance.

JOURNALISTE. – *Quels sont vos endroits préférés ?*
KLARA CSORDAS. – J'adore mon village, Crespières. J'y trouve une grande qualité de vie. Je rêve de créer un jour un festival de musique classique ! J'adore Versailles et son architecture extraordinaire. Le dimanche, je vais au marché à Saint-Germain-en Laye : c'est le plus beau du monde !
Professionnellement et humainement, je me sens bien ici.

« Au volant, je trouve les automobilistes rigolos »

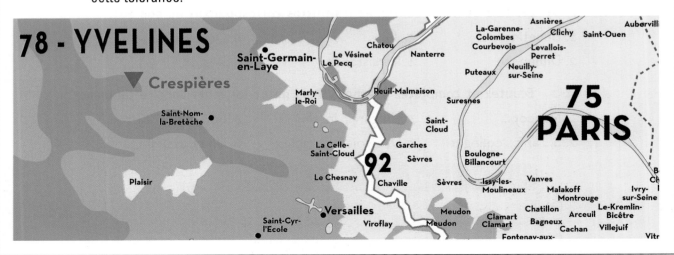

78 - YVELINES
▼ Crespières
Saint-Germain-en-Laye
Le Vésinet
Le Pecq
Chatou
Nanterre
Marly-le-Roi
Reuil-Malmaison
Saint-Nom-la-Bretèche
Suresnes
La Celle-Saint-Cloud
Saint-Cloud
Garches
Sèvres
92
Boulogne-Billancourt
Plaisir
Le Chesnay
Chaville
Sèvres
Issy-les-Moulineaux
Vanves
Malakoff
Montrouge
Chatillon
Bagneux
Cachan
Arceuil
Saint-Cyr-l'Ecole
Versailles
Viroflay
Meudon
Meudon
Clamart
Clamart
Fontenay-aux-
La-Garenne-Colombes
Courbevoie
Asnières
Clichy
Levallois-Perret
Saint-Ouen
Aubervilli
Puteaux
Neuilly-sur-Seine
75 PARIS
Ivry-sur-Seine
Le-Kremlin-Bicêtre
Villejuif
Vitr

[D'après *Île-de-France*, *Le Journal du Conseil régional*, juillet-août 2006]

27. **Lisez le document et répondez.**

Dans le document, il est question :
- ❏ d'une interview
- ❏ d'une lettre à un journal
- ❏ de la publicité d'un village

28. **Observez à nouveau le document, la carte et la photo.**

1. Repérez sur la carte le village mentionné. Il se trouve dans quelle région ?

2. Il n'est pas loin de villes plus connues . Quelles villes ?

3. Complétez la fiche de la personne interviewée.

> **Nom, prénom :** ...
>
> **Profession :** ...
>
> **Nationalité :** ...
>
> **Ville :** ...

4. *La périphérie* est un espace en forme de cercle autour d'une ville.
D'après le texte, qu'est-ce que c'est *le périphérique* ?

5. Est-ce que Klara et son mari ont trouvé facilement la route à leur arrivée à Paris ?

6. *Trouver son chemin*, c'est une expression figurée : *réaliser son objectif de vie, réussir dans la vie.*
À quelle autre expression (non figurée) est-elle comparée ?

7. L'Île-de-France est la région de Paris, de Versailles. Comment s'appellent ses habitants ?
Comment Klara se sent-elle avec les gens de cette région ?

8. Quelles sont les qualités des automobilistes, d'après Klara ?

9. Quelle qualité trouve-t-elle dans son village ?
De quoi rêve-t-elle ?

10. *Rigolo/rigolote* est un adjectif de la langue familière. D'après le texte, il signifie :
❏ amusant   ❏ gentil   ❏ agressif   ❏ discipliné

Cherchez dans le dictionnaire le verbe de la même famille que *rigolo*.
Contourner signifie : *faire le tour.* D'après vous, que veut dire *contourner les règles* ?

Biographies

CALLAS *(Maria Kalogheropoùlos, dite la)*, née à New York (1923-1977), soprano américaine et grecque. Elle a interprété les plus grands rôles de l'opéra italien du XIXᵉ siècle (Bellini, Verdi). La qualité de sa voix et son expressivité dramatique sont remarquables. Elle est l'une des artistes lyriques les plus célèbres de tous les temps.

CARDIN *(Pierre)*, né à Sant'Andrea di Barbarana, près de Venise, Italie (1922), couturier français. Il a imposé ses modèles unisexes et son style moderne, très construit. Avec lui, la haute couture est descendue dans la rue. Il est ambassadeur de la paix auprès de l'Unesco et homme de culture. Il est élu à L'Académie des Beaux-Arts (1991) : la haute couture trouve ainsi sa place parmi les arts.

LECLERC *(Philippe de Hauteclocque dit)* né à Belloy-Saint-Léonard, en Picardie (1902-1947), maréchal de France. Au moment de l'occupation allemande, il rejoint le général de Gaulle dans le mouvement de la France libre. En 1944, il débarque en Normandie. À la tête de la 2ᵉ Division blindée, il libère en quatre mois toutes les villes sur son passage dont Paris et Strasbourg. Arrivé à Strasbourg, il s'exclame : « Maintenant on peut crever ! »

29. **Lisez ces notices biographiques.**

1. Quelle vie ?
   Analysez leur plan et complétez le tableau.

	Callas	**Cardin**	**Leclerc**
Nom (ou surnom) Prénom (vrai nom)			
Lieu/date de naissance (et de mort)			
Profession			
Faits importants			
Autres détails			

2. *Expressif* signifie : *qui exprime avec force ses impressions, ses sentiments.*
   Que signifie *expressivité dramatique* ?

3. *Remarquable* signifie :
   ❑ modeste   ❑ extraordinaire   ❑ ordinaire   ❑ curieux

4. Quel mot est de la même famille que *couturier* ?

5. *La haute couture est descendue dans la rue* signifie :
   ❑ elle s'adresse à une élite
   ❑ elle s'adresse à tout le monde
   ❑ elle est créée pour se promener

30. **Remettez les parties de cette notice biographique dans l'ordre.**

Il fonde le journal *La Réforme* et en 1848 devient ministre de l'Intérieur. En 1849, il doit démissionner. Il s'oppose avec force à la politique étrangère du gouvernement.

Né à Paris (1807-1874)

Homme politique français, avocat démocrate, député à partir de 1841.

Ledru-Rollin (Alexandre Auguste Ledru dit)

Il vit en exil jusqu'en 1870.

Les verbes en -indre

> **Vous avez déjà rencontré des verbes comme (re)joindre :** *il rejoint*.
> **Voici leur conjugaison.**

31. Lisez et répétez.

CONJUGAISON

Rejoindre

Présent	Je rejoins	Participe passé	Rejoint
	Tu rejoins	**Passé composé**	J'ai rejoint
	Il/Elle rejoint		...
	Nous rejoignons		
	Vous rejoignez	**Conditionnel**	Je rejoindrais
	Ils/Elles rejoignent		...
Impératif	Rejoins		
	Rejoignons		
	Rejoignez		

Au présent, les bases de rejoindre sont : ❏ re- ❏ rejoin- ❏ rejoi- ❏ rejoign-

Parmi les verbes qui se conjuguent comme rejoindre : peindre, craindre, (se) plaindre.

Répétez la conjugaison de *peindre*.

32. Complétez par le bon verbe *(peindre, craindre, se plaindre, rejoindre)*.

1. Elle est frileuse. Elle ... le froid. (présent)
2. Cet artiste ... plus de vingt tableaux en un an. (passé composé)
3. ...-nous à *La Table d'Anvers*, à huit heures. (impératif, vous)
4. Ils sont comme ça, ils ... toujours ! (présent)

Mon, ton son

> **Comme vous l'avez peut-être déjà remarqué, l'adjectif possessif** ma, ta, sa
> **prend la forme de** mon, ton, son **devant une voyelle ou un** h **muet.**
> *J'adore son architecture extraordinaire.* (architecture, f.)
> *Mon amie Juliette est venue me voir hier.* (amie, f.)

Cherchez un autre exemple dans *Des textes*, p. 138.

Et maintenant, à vous !

33. À vous d'écrire les biographies de ces personnages !

1. Annan, Kofi, 1938 au Ghana / Secrétaire général de l'ONU (1997-2006). / défense de la paix dans le monde, protection de l'environnement.
2. Un écrivain, un artiste, ... de votre pays.
3. Un personnage imaginaire né en 2087.

Alors, votre français ?

À l'oral, je peux :

❑ décrire quelqu'un   *Il a les yeux noirs, il est athlétique, la trentaine…*

À l'écrit, je peux :

❑ écrire une brève biographie   *… Au moment de l'occupation allemande, il rejoint…*

GRAMMAIRE

Je sais utiliser :

Les verbes

❑ impersonnels
(temps atmosphérique)

faire + adjectif	*Il fait doux, il a fait doux*
pleuvoir	*Il pleut, il a plu*
neiger	*Il neige, il a neigé*

❑ décrire

présent, impératif, part. passé, passé composé, conditionnel	*Je décris. Décrivez votre acteur préféré.* *Il a décrit sa maison.*

❑ en -indre :

rejoindre,	*Rejoignez-nous.*
craindre,	*Elle craint le froid.*
peindre	*Cet artiste peint bien.*

La syntaxe

❑ les noms de professions masculins et féminins

❑ les adjectifs qualificatifs au masculin et au féminin
Suffixes

-eux/euse :	*amoureux /euse*
-ais/aise :	*japonais/aise*
-ain/aine :	*mexicain/aine*

❑ les adjectifs possessifs
féminins : *mon, ton, son*   *mon amie, son adresse*
devant voyelle ou *h* muet

NOTIONS ET LEXIQUE

Je sais utiliser les mots concernant :

❑ L'être humain

Noms
le visage
les yeux
les joues
les lèvres…

Adjectifs
mince
maigre
grand
blond
roux
chauve
barbu…

Verbes
mesurer
peser
…

Découvertes

La mémoire et l'histoire

La France, comme d'autres pays, entretient sa mémoire nationale : fêtes, commémorations, monuments, musées, statues, noms des rues. On se souvient ensemble de certains événements historiques.

Des dates historiques

Le 14 juillet

LA PRISE DE LA BASTILLE, FÊTE NATIONALE

La fête nationale célèbre le souvenir du 14 juillet 1789. Ce jour-là, le peuple de Paris se révolte, il a besoin de poudre et de balles et apprend qu'il y a des réserves à la Bastille. Il attaque donc la Bastille, un château transformé en prison, et libère les prisonniers. La Révolution française est en marche : elle va aboutir à la fin du pouvoir absolu du roi et des privilèges héréditaires de la noblesse. La prise de la Bastille symbolise cette fin de l'*Ancien régime* et la naissance de la République. On célèbre cette fête aujourd'hui par des défilés militaires, des bals et des feux d'artifice.

Le 11 novembre

LA FIN DE LA GUERRE DE 1914-1918

La guerre de 1914-18, la première guerre mondiale, a ensanglanté l'Europe avec des millions de morts. Elle se termine le 11 novembre 1918. On célèbre cette date, chaque année, à l'Arc de Triomphe de Paris, sur la tombe du soldat inconnu. Ce soldat, non identifié, est le symbole de l'ensemble des soldats morts pendant la guerre.

Le 8 mars

JOURNÉE INTERNATIONALE DES FEMMES

En France, il y a la fête des mères, très populaire, décidée par le gouvernement de Vichy. Depuis 1975, il y a aussi, le 8 mars, la Journée internationale de la femme. Elle est créée « pour célébrer la lutte historique » pour améliorer « les conditions de vie des femmes ». Cette journée est célébrée dans beaucoup de pays avec ses manifestations joyeuses pour l'égalité des sexes.

Le 10 mai

JOURNÉE DE LA MÉMOIRE DE L'ESCLAVAGE

Une loi de 2001 définit l'esclavage, aboli en France en 1848, comme un crime contre l'humanité. Le 10 mai, dans les écoles, on explique l'histoire de l'esclavage. On explique aussi la nature de l'esclavage, puisque cette forme d'exploitation existe encore.

Le 17 juillet

JOURNÉE À LA MÉMOIRE DES CRIMES RACISTES ET ANTISÉMITES

Le 17 juillet 1942, près de 14 000 Parisiens, juifs pour la plupart, sont arrêtés par la police du Gouvernement de Vichy et conduits au Vélodrome d'hiver (lieu où l'on faisait des courses de vélos), à Paris. Ils sont envoyés dans les camps de concentration en Allemagne. Peu vont revenir. On célèbre par des cérémonies les victimes de ces arrestations de masse et les millions de victimes de la haine raciste, auquel l'Etat français a participé.

1. Quelles dates historiques ?

1. On parle :

❏ d'histoire
❏ d'événements récents
❏ d'anniversaires de personnes

2. Est-ce que toutes les dates mentionnées (dates historiques et journées) se rapportent à des événements politiques ?

3. Quel est l'événement le plus ancien qui est commémoré ?

Divisez-vous en 3 groupes :
– le groupe 1 lit *le 14 juillet* et *le 11 novembre* ;
– le 2ᵉ groupe *le 8 mars* et *le 10 mai* ;
– le 3ᵉ groupe *le 17 juillet*.

Chaque groupe explique sa partie de texte à la classe et répond aux questions des autres groupes.

2. D'après vous ?

1. Le *pouvoir absolu du roi* signifie que :
❏ le roi a un pouvoir sans limites
❏ le roi partage son pouvoir avec le peuple
❏ le roi est choisi par le peuple

2. *Ensanglanter* est formé avec le mot *sang*. Que signifie : « la guerre 1914-1918 qui a ensanglanté l'Europe » ?

3. Quelle autre fête est citée dans le texte *le 8 mars* ?

Connaissez-vous quelques-unes de ces dates ?

Quel jour célèbre-t-on la fête nationale dans votre pays ?

Quelles sont les autres dates historiques ?

Qu'est-ce qu'on célèbre surtout chez vous (événements de l'histoire sociale ou politique, fêtes religieuses, fêtes traditionnelles...) ?

Raconter une histoire, une anecdote

Devine !

3. **Écoutez et lisez.**

ALEXIS. — Tu sais ce qui m'est arrivé la semaine dernière ?

HUBERT. — Ben, non.

ALEXIS. — Bon, j'arrivais juste à Strasbourg, j'étais à la réception de l'hôtel et d'un seul coup je vois deux costauds, en costume cravate et lunettes noires et je me dis « Tiens, ça pourrait être deux gardes du corps.».

HUBERT. — Et alors ?

ALEXIS. — Ben, c'était bien des gardes du corps. Ils ont demandé aux gens de laisser passer.

HUBERT. — Et qui ? C'était qui ?

ALEXIS. — Devine.

HUBERT. — Je ne sais pas moi, Zidane ? Jean Réno ?

ALEXIS. — Mais non, le Premier ministre, en personne !

HUBERT. — Pas possible ! Et, à part ça, qu'est-ce que tu deviens ?

> DANS VOTRE LANGUE, COMMENT VOUS FAITES POUR RACONTER UN FAIT ? ET POUR ATTIRER L'ATTENTION DE VOTRE INTERLOCUTEUR ?

> **Sabe o que me aconteceu outro dia, cruzei com … ***

* En brésilien : Tu sais ce qu'il m'est arrivé l'autre jour, j'ai croisé…

4. **Écoutez encore et répondez.**

1. Dans la conversation,

❏ on raconte un fait   ❏ on discute d'un problème   ❏ on donne des conseils

2. Qui pose des questions ?   ❏ Alexis.   ❏ Hubert.

3. Où se passe l'histoire ?   ❏ À Fribourg.   ❏ À Bourges.   ❏ À Strasbourg.

5. **Trouvez les bonnes réponses.**

1. Alexis était à l'hôtel.   ❏

2. Deux hommes robustes ont fait éloigner les gens.   ❏

3. Ils portaient des vêtements militaires.   ❏

4. Le personnage était Zinédine Zidane.   ❏

5. Hubert exprime son incrédulité.   ❏

6. *Costaud* est un mot familier. Il se rapporte aux qualités physiques des gardes du corps. **D'après votre expérience, quel est le physique d'un garde du corps ?**

Alors ?

• Pour commencer son récit, Alexis dit : …
• Pour attirer l'attention d'Hubert, il dit : …
• Pour exprimer son intérêt et son incrédulité, Hubert dit : …
• Pour changer de sujet de conversation, Hubert dit : …
• Écoutez à nouveau et jouez la conversation à deux.

DES MOTS — Événements

Noms
un fait
un événement
un accident
une réunion (des chefs d'État)
une rencontre (des présidents)
une crise
une catastrophe

Adjectifs
important
grave
tragique
terrible
extraordinaire
exceptionnel
social
économique
politique
international

7. Trouvez le bon mot !

1. C'est un événement malheureux.
C'est un ... .

2. Cela est organisé à l'occasion d'un voyage officiel (d'un chef d'État, d'un président d'entreprise...) . C'est une ... ou une ... .

3. C'est un événement tragique ou désastreux. C'est une ... .

4. C'est un fait important, non ordinaire. C'est un ... .

8. Trouvez le bon adjectif.

1. Une crise qui touche tous les pays est une crise ... .

2. Les élections législatives sont un événement ... .

3. La baisse des prix est un événement ... .

4. Un fait qui n'est pas ordinaire, commun est ... ou ... .

5. Une catastrophe naturelle est un événement ... .

6. Un problème qui concerne la société est ... .

COMMUNICATION

Pour raconter une anecdote, une histoire, on utilise souvent le passé composé et l'imparfait :

– Hier, il faisait mauvais, alors je suis allé au cinéma. Mais quand je suis sorti…

– L'autre jour, je descendais du bus et j'ai vu une grosse Rolls…

Pour donner plus de vivacité au récit, on peut utiliser le présent et l'imparfait :

– J'étais à la réception de l'hôtel et d'un seul coup, je vois deux costauds…

– Il y avait du monde au restaurant. À un certain moment, un type arrive
  et demande une table pour dix.

**Pour attirer l'attention de son interlocuteur,
on peut dire :**

– Tu sais, j'allais au cinéma et…

– Devine.

– Et bien voilà !

– Tu sais ce qui m'est arrivé l'autre jour / la semaine
  dernière / cet après-midi… ?

> *Pour changer de conversation,
> proposer un nouveau sujet, on peut
> dire :*
> *– Et à part ça, qu'est-ce que tu deviens ?*
> *– Et pour changer de sujet, comment va
> ta mère ?*

9. **Pascale raconte une anecdote à son amie Annie.**

Elle a croisé dans la rue une camarade d'école,
mais elle n'est pas sûre de la reconnaître.

PASCALE. – …

ANNIE.   – Oui, et alors ?

PASCALE. – Elle ressemblait à Inès,
             notre camarade
             de sixième, mais
             je n'étais pas sûre.

ANNIE.   – …

PASCALE. – Attends…

10. **Complétez la conversation.**

Didier raconte à un collègue ce qui lui est arrivé.

– Dimanche, je suis allé au parc avec Maxime, mon fils.

– …

– Au début, nous avons joué à cache-cache, mais à un moment,
  je n'arrivais plus à le trouver.

– …

– …

– …

– On a ramené le petit chien abandonné à la maison !

11. **Isabelle, caissière d'un supermarché, raconte à sa tante qu'un journaliste
de la télévision l'a interviewée dans la rue**
Sujet de l'interview : les conditions de travail (horaires, rythmes, salaire…) (8 répliques)

DES FORMES **Un temps du récit : l'imparfait (2)**

GRAMMAIRE

L'imparfait
Dans le récit, l'imparfait est utilisé en relation avec le passé composé.

L'imparfait sert à :

– **décrire les** circonstances d'un événement passé **et à indiquer**
un déroulement (long ou bref) des événements de second plan.
Le passé composé, à l'opposé, note des événements, situés dans
le passé de premier plan ;
Il faisait beau. J'étais sur la plage quand j'ai vu...

– **exprimer l'habitude, dans le passé.**
Tous les matins, Jean lui apportait des croissants chauds. Mais un jour
il a oublié et...

Dans l'unité 5, vous avez vu l'imparfait de : être, avoir et des verbes en -er (aimer).
En général, l'imparfait se forme à partir de la base de la 1re personne pluriel du
présent.

CONJUGAISON

Les terminaisons de l'imparfait sont les mêmes pour tous les verbes.

Nous **recev**-ons	**+ les terminaisons :**	Je	Tu	Il/Elle
Nous **aim**-ons		-ais	-ais	-ait
Nous **finiss**-ons		Nous	Vous	Ils/elles
Nous **av**-ons		-ions	-iez	-aient
Je **recev**-ais				
Tu **aim**-ais				
Il **finiss**-ait				

12. Conjuguez et répétez l'imparfait de *faire*.

CONJUGAISON

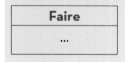

Faire
...

13. Complétez par les verbes suivants (à l'imparfait), d'après le sens des phrases.

habiter, rentrer, vouloir, avoir, devoir, finir

1. Tu sais, hier soir, quand je ... à la maison, j'ai rencontré mon ami Martial.

2. Il y a cinquante ans, ma grand-mère ... une belle ferme dans le Limousin.

3. Tu sais, il ... devenir pianiste quand il était petit.

4. Nous ... arriver avant 15 heures, mais la circulation était bloquée.

5. Quand j'étais au primaire, on ... nos devoirs en vitesse pour aller jouer au ballon.

6. Il y a vingt ans, peu de gens ... un ordinateur.

Les verbes en -oir

> **Vous connaissez des verbes comme recevoir, apercevoir, décevoir, au participe passé : reçu, aperçu, déçu.**
> **Voici leur conjugaison.**

CONJUGAISON

Recevoir			
Présent	Je reçois Tu reçois Il/Elle reçoit Vous recevez Nous recevons Il/Elles reçoivent	**Participe passé**	Reçu
		Passé composé	J'ai reçu …
		Imparfait	Je recevais …
Impératif	Reçois Recevons Recevez	**Conditionnel**	Je recevrais …

Au présent, les bases de recevoir sont : ❏ re- ❏ reç- ❏ recev- ❏ rece- ❏ reçoi ❏ reçoiv

14. Conjuguez le verbe *apercevoir* au présent.

CONJUGAISON

Apercevoir
J'…
…
…
…
…
…

15. Choisissez le bon verbe pour compléter les phrases. Attention au temps du verbe.

décevoir, recevoir, apercevoir

1. Hier, je … Alain dans la rue.

2. C'est ça, ton bulletin ? Tu nous … beaucoup !

3. …, cher collègue, nos vœux les plus sincères.

4. C'est un banquier qui … le prix Nobel de la paix cette année.

5. C'est de la folie ! Je … au moins cinquante spams par jour !

6. On peut … le sommet du Mont-Blanc, mais il y a des nuages aujourd'hui.

Ça et cela

> Vous avez rencontré plusieurs fois **ça** et **cela**, comme dans la conversation p. 144 :
> *Tiens, ça pourrait être…, À part ça, qu'est-ce que tu… ?*
> **Ils reprennent** un mot (une idée, un objet…) déjà mentionné.

16. **Dans les exemples, soulignez les mots qui sont repris par *ça* et *cela*.**

1. Il a tout avoué et cela a beaucoup frappé le public présent.

2. J'ai gagné au loto ! Ne répétez ça à personne !

3. Le meuble était en bon état. Cela datait de la fin du 19e.

4. Tu as pris mon portable ? Rends-moi ça immédiatement !

5. Cette dame au chapeau à fleurs ? Ça peut être la tante de Jim.

GRAMMAIRE

Cela et **ça** (sa forme réduite), sont des pronoms démonstratifs.
Ils représentent un nom, déjà employé, ou une idée, déjà énoncée :
La crise de notre secteur est évidente. Cela amène, messieurs,
à prendre des décisions conséquentes.
Tu as besoin d'argent. Prends ça, je t'en prie.
On a parlé de beaucoup de choses. Ça l'a rassuré.

Ces pronoms sont invariables. Ils s'accordent au masculin singulier :
Ça n'est pas prudent.

L'emploi de ça est fréquent dans la conversation ordinaire.

Attention ! Avec ça, pas d'élision :
Ça a passé vite.

---

17. **Remplacez les mots par *ça*, quand c'est possible.**

Exemple : *Cette phrase* ne veut rien dire. → Ça ne veut rien dire.

1. Il fait gris. Ce *temps* me rend triste.

2. Tu pars ce soir ? Ce *voyage* n'est pas prudent.

3. *Guillaume* semble préoccupé.

4. *Il* fallait réagit vite.

5. Le zouk ? J'adore ce *rythme* !

6. *Tu* attends quelqu'un ?

18. **Maintenant faites le contraire : remplacez *ça* par des mots correspondants.**

Exemples :
Les enfants ? Ça pleure tout le temps. → Les enfants ? *Ils* pleurent tout le temps.
Ils viennent demain ? → Je ne suis pas au courant de *ça.*
Ils viennent demain ? → Je ne suis pas au courant de *leur visite.*

1. Qu'est-ce que tu me racontes ? Ça ne veut rien dire !

2. J'ai aimé ce roman. Ça m'a fait penser à mon enfance.

3. Rien ne marche dans cette banque ! Tu pourrais signaler ça ?

4. Le groupe de touristes, là ? Ça avance doucement.

5. Vous ici ? Je ne m'attendais pas à ça !

6. Les voitures en ville, ça pollue et ça coûte cher.

| DES SONS | Les sons [ɛ], [œ], [ø] |

> Vous connaissez les sons [ɛ], [œ], [ø], comme dans j'arrivais, seul, deux.
> Est-ce que vous savez bien les reconnaître ?

19. Écoutez ce récit et cochez les sons que vous entendez.

	[ɛ]	[œ]	[ø]			[ɛ]	[œ]	[ø]
1.	☐	☐	☐		6.	☐	☐	☐
2.	☐	☐	☐		7.	☐	☐	☐
3.	☐	☐	☐		8.	☐	☐	☐
4.	☐	☐	☐		9.	☐	☐	☐
5.	☐	☐	☐		10.	☐	☐	☐

20. Écoutez et répétez à haute voix : respectez les groupes rythmiques !

La semaine dernière, Alexis était à Strasbourg. Il arrivait juste à l'hôtel quand tout à coup, deux hommes sont arrivés dans le hall. C'étaient des gardes du corps. Ils ont demandé aux gens de laisser passer quelqu'un, une personnalité politique. Heureusement pour lui, cela n'a pas duré longtemps.

21. Activité du groupe classe

Continuez le récit de l'activité 20 (une à deux phrases). Écrivez-les au tableau. Respectez la prononciation, l'intonation et le rythme.
Exemple : *En effet, c'était le premier ministre en visite officielle. Il venait de participer à une cérémonie pour la Journée internationale de la femme.*

Et maintenant, à vous !

22. Imaginez et jouez les conversations.

A - Dominique Fouquet rentre d'un voyage, à Hongkong . Il va au parking de l'aéroport où il a laissé sa voiture. La voiture n'est pas là. Il s'inquiète et cherche son ticket pour vérifier la place. Il s'était trompé de niveau ! Il raconte ce fait à sa femme qui, elle, est curieuse de savoir comment s'est passé son voyage en Chine.

B - Amimata rencontre un vieux camarade de lycée à l'arrêt du bus. Il raconte le fait à sa femme.

DE L'ÉCOUTE — Comprendre une interview à la radio

Bordeaux-Dax

23. Écoutez.

1. Il s'agit : ☐ d'un jeu radiophonique   ☐ d'une interview   ☐ d'une conversation

2. Le personnage est :   ☐ un sportif   ☐ un chanteur   ☐ un scientifique

3. C'est le récit :   ☐ d'une rencontre   ☐ d'un événement sportif   ☐ d'un voyage

24. Écoutez à nouveau.

1. Sylvestre a gagné une étape du Tour :   ☐ de France   ☐ d'Italie   ☐ d'Espagne

2. C'est la :   ☐ deuxième étape   ☐ dix-neuvième étape   ☐ douzième étape

3. L'étape est : ☐ Saint-Malo-Dax   ☐ Bordeaux-Dax   ☐ Monaco-Dax

4. Pourquoi Sylvestre voulait gagner cette étape ?
Où a-t-il fait une première tentative de s'échapper ? ... de Bordeaux. Et après ?

5. Le mot vient du néerlandais *stapel*. Il signifie *le lieu où l'on s'arrête pendant un voyage, une course*. En français, on dit ... .
Vous connaissez les mots *colocataire* et *équipe*. Que veut dire *coéquipier* ?
Le mot qui signifie « le groupe de tous les autres coureurs-cyclistes » est le ... .

DES LETTRES — Les lettres è, ê, ai, ei, e en syllabe fermée

ORTHOGRAPHE

En français le son [ɛ] est noté par :
è, ê, en fin de syllabe (sauf exceptions) : derriè-re, tê-te **mais** très
ai, ei : je voulais, un fait, la peine
e, en syllabe fermée (consonne-voyelle-consonne) : cette, merci, chez

25. Écoutez et lisez. Complétez les mots.

1. Un ens...gnant
2. Une premi...re tentative
3. La douzi...me étape
4. Un f...t extraordin...re
5. Qu...lle victoire !
6. Une b...lle f...te

Les lettres œu, eu

ORTHOGRAPHE

Les sons [œ] et [ø] sont notés par les lettres œu et eu.
Le son [œ] est noté par œu et eu, en syllabe fermée (consonne-voyelle-consonne) : heure, sœur
Le son [ø] est, lui, noté par les mêmes lettres, mais en syllabe ouverte (consonne-voyelle) : deux, heureux.

26. Écoutez et complétez les mots et le tableau.

1. Un vainqu...r
2. Une chant...se
3. D...x cour...r
4. Des vœux
5. Le courrier du c...r

	œu	eu
[œ]	...	...
[ø]	...	...

27. Dictée. Écoutez et écrivez.

Hier soir, au carrefour de...

ÉVASION

Près de Marseille, dans une prison très moderne, quatre prisonniers se sont évadés, mardi dernier, dans la matinée. Ils ont menacé deux gardiens avec une arme et ont rejoint le toit de la prison. Un hélicoptère, piloté par un complice, s'est posé sur le toit de la prison. Ils sont montés dans l'hélicoptère et ont pris la fuite. Parmi eux, il y a Sylvain Delagrange, spécialiste de l'évasion. Les deux gardiens sont toujours en état de choc.

ACCIDENT

Hier soir, vers 18 heures, au carrefour de la rue de Châteaudun, une camionnette Kangoo a doublé une file de voitures sur la voie réservée aux bus. Puis, elle a violemment heurté un scooter et elle a fini sa course dans la vitrine d'une pâtisserie. La vie de Jean-Luc Rey, 18 ans, qui conduisait le scooter, n'est pas en danger. Le propriétaire de la camionnette, en observation à l'hôpital, a déclaré « J'étais pressé, je devais livrer un frigo avant 18 heures. »

28. Observez et lisez.

Dans le document, il est question :

❑ de rencontres politiques   ❑ de faits quotidiens   ❑ de crises internationales

29. Lisez à nouveau un texte à la fois.

Évasion

1. Quand et où l'évasion a eu lieu ?

2. L'évasion concerne combien de personnes ?

3. Pourquoi les prisonniers ont pu arriver sur le toit ?

4. Qui les attendait sur le toit ?

5. Comment vont les deux gardiens ?

6. Le nom de la même famille que *s'évader* est ... .

7. Un hélicoptère :   ❑ vole   ❑ roule   ❑ navigue

Accident

8. Quand et où l'accident a eu lieu ?

9. Qui a provoqué l'accident ? Un ...

10. Où s'est-elle arrêtée ?

11. S'agit-il d'un accident mortel ?

12. Pourquoi le propriétaire de la camionnette n'a pas respecté les règles de la route ?

13. Trouvez les verbes correspondant à :

Passer devant (un véhicule) : ...

Entrer en contact avec violence (avec quelque chose) : ...

Chez vous, y a-t-il des faits divers dans la presse ?

Quelle place occupent-ils dans les journaux ?

Quels sont les sujets les plus fréquents ?

Patricia à Venise

> Les **brèves** sont de très courtes informations publiées dans les journaux sur des sujets différents, sérieux, mais aussi curieux ou drôles.

A.

Show-biz

Patricia à Venise

Patricia, la célèbre chanteuse réunionnaise, a passé la soirée de samedi au Casino Venier de Venise. Elle y a perdu une très grosse somme. À la fin de la soirée, la star a déclaré à un journaliste : « C'est toujours excitant de perdre de l'argent ! ».

B.

Espionnage

UN PILOTE CURIEUX

Un pilote d'ULM a survolé hier la centrale nucléaire de Golfech (Tarn et Garonne), sans autorisation et avec un appareil photo. Il a été immédiatement interrogé par la police et mis sous contrôle judiciaire. L'homme a déclaré qu'il travaille pour une société de cartographie.

C.

Orthographe

UN CONCOURS TRÈS SUIVI

Deux cent quarante personnes ont participé hier après-midi à la grande finale de la Dictée de Paris, à la mairie du XVIe arrondissement. La correction des copies a commencé dans la soirée. Les deux premiers gagnants vont participer à la Dictée des Amériques, au Québec et à la Dictée d'Afrique, au Maroc.

30. **Lisez ces _brèves_.**

1. Quels mots généraux situent les brèves dans un domaine ?

    A. ...   B. ...   C. ...

2. D'après le titre, l'information concerne :

    A. ...   B. ...   C. ...

3. De quels événements on rend compte dans ces trois _brèves_ ?

    A. ...   B. ...   C. ...

31. Lisez à nouveau une *brève* à la fois.

Show-biz

1. Quel mot indique l'origine de Patricia ? Son pays s'appelle ... .

2. Dans le texte, quels mots (noms et pronoms) remplacent :
Patricia, la célèbre chanteuse réunionnaise ? ...

Espionnage

3. C'est un appareil *Ultra Léger Motorisé* : son sigle c'est ... .

4. Dans le texte, quels mots (noms et pronoms personnels) remplacent *un pilote* ?

Orthographe

5. Comment a-t-on sélectionné les finalistes de la dictée ? Par ... .

6. Quelle phrase correspond à *On a invité les deux premiers gagnants* ?

7. Pour repérer la structure d'une brève, complétez le tableau.

Brèves	A	B	C
Événement annoncé avec indication du lieu et du temps.	...	*Un pilote d'ULM a survolé hier...*	...
Suite/conséquence de l'événement.	*Elle y a perdu...*	...	...
Information complémentaire (éventuellement)	...	...	*Les deux premiers gagnants...*

32. Reconstituez cette *brève*.

(...) 2 000 bouteilles disparues.

(...) Vol à la mairie.

(...) La police a ouvert une enquête.

(...) Deux mille bouteilles de champagne ont disparu dans la nuit du quatorze au quinze octobre dans les caves de la Mairie de Neuilly-sur-Seine.

(...) Le commissaire de police, qui conduit l'enquête, a déclaré qu'aucune piste n'est à négliger.

DES FORMES | (La forme passive)

> Vous avez rencontré dans Des textes, p. 154, des phrases comme :
> *Un pilote d'ULM a été interrogé par la police.*
> **En grammaire, on appelle cette forme verbale** forme passive.

GRAMMAIRE

- **La forme passive sert à** mettre en évidence **la personne/la chose qui subit l'action :**
  un pilote d'ULM.

- **Le verbe est conjugué avec l'auxiliaire être** (interroger → être interrogé) :
  a été interrogé **(passé composé passif).**

- **La préposition par introduit la personne/la chose responsable de l'action :**
  par la police

33. Observez ces phrases.

a. Les gagnants sont invités à la Dictée des Amériques.
b. Huit employés de l'aéroport de notre ville sont mis en examen pour vol de bagages.
c. La marchandise a été stockée dans un hangar, près de l'aéroport.
d. L'automobiliste est arrêté immédiatement par les gendarmes sur la route nationale n° 6.

Donnez l'infinitif passif des verbes.

(Ils) sont invités	être invité
(Ils) sont mis en examen	... en examen
(Elle) a été stockée	...
(Il) est arrêté	...

	Oui	Non
1. Le participe passé du verbe passif est invariable.	❏	❏
2. Le passé composé passif se forme avec le passé composé de *être* + le participe passé du verbe.	❏	❏

34. Transformez ces phrases. Mettez-les à la forme passive.

Exemples : Le responsable de la société annonce la nouvelle.
→ La nouvelle est annoncée par le responsable de la société.

1. Les associations de locataires organisent la manifestation de demain.
2. Les participants demandent des garanties pour le droit au logement.
3. Le désaccord des pays de l'UE a provoqué une grave crise politique.
4. Un violent orage a dévasté la région.

Et maintenant, à vous !

35. Vous êtes journaliste et vous devez écrire des brèves sur les sujets suivants. N'oubliez pas les titres !

1. Vol dans le VIIIe / des inconnus, voler, 200 selles de vélos / dans la nuit du... / VIIIe arrondissement de Marseille...

2. Agriculture / le prix du lait / des agriculteurs, manifester, hier après-midi, Place..., contre la baisse du prix / le ministre...

3. Imaginez une brève drôle.

Alors, votre français ?

COMMUNIQUER

À l'oral, je peux :

❑ raconter une histoire, une anecdote   *Hier, il faisait mauvais, alors je suis allée...*

À l'écrit, je peux :

❑ écrire une brève   *Un pilote d'ULM a survolé hier...*

GRAMMAIRE

Je sais utiliser :

Les verbes

❑ l'imparfait	*Je finissais, je faisais*
❑ les verbes en -oir	
Recevoir : présent, impératif,	*Je reçois*
participe passé, passé	*Il a reçu*
composé, imparfait,	*Nous recevions*
conditionnel	*Il nous recevrait demain.*

La syntaxe

❑ les pronoms démonstratifs	
cela et *ça*	*Ne répétez ça à personne !*
	Cela a beaucoup frappé le public.
❑ la forme passive	*Il a été interrogé par la police.*

NOTIONS ET LEXIQUE

Je sais utiliser les mots concernant :

❑ Les événements

Noms
le fait
l'événement
l'accident...
la réunion
la rencontre
la crise
la catastrophe

Adjectifs
important
grave
extraordinaire...
exceptionnel
économique
politique
international

Organiser une conférence pour l'école

L'école est ouverte au monde. On peut y faire venir des gens qui parlent de ce qu'ils font, de ce qu'ils savent.

● **Première étape : quel sujet ?**
Dans ce projet que vous allez réaliser, vous allez choisir **le sujet** d'une conférence pour l'école/le centre que vous fréquentez. Par exemple, un sujet d'histoire, d'économie, d'art... Il peut avoir un rapport avec votre ville, votre région, l'actualité, votre activité professionnelle. Il peut aussi concerner les langues, le français...

● **Deuxième étape : qui inviter ?**
Vous allez discuter de cela en classe. Il vaux mieux prévoir plus d'un sujet.
Vous pouvez vous adresser à un Centre culturel français, à une Alliance française, au documentaliste de votre école ou bien chercher les noms de personnes **(le/la conférencier/ère)** sur Internet. Par exemple, si vous avez retenu un sujet sur l'environnement, vous pouvez penser à un écologiste.
Sinon, vous pouvez toujours inventer des rôles que vous jouerez en fonction du thème choisi.

● **Troisième étape : comment contacter le/la conférencier/ère ?**
Vous devez contacter cette personne (par mél, c'est le plus rapide), lui expliquer de quoi il s'agit, demander ses disponibilités (dates possibles).

● **Quatrième étape : comment organiser la conférence ?**
Vous allez :

- demander au conférencier **le résumé** de sa conférence que vous allez distribuer aux participants ;
- recueillir de **la documentation** sur le sujet de la conférence (Internet, centre de documentation, bibliothèque...) ;
- préparer **une affiche** pour faire connaître l'événement aux étudiants des autres classes ;
- préparer **la salle** où la conférence va avoir lieu ;
- préparer **la présentation du conférencier**, sur le modèle des biographies de l'unité 7 (mais vous éviterez de citer sa date de naissance !), **des questions à lui poser** ;
- choisir **un modérateur** pour diriger le débat.

Et prévoyez aussi un étudiant chargé du service photographique !

Compréhension de l'oral

COMPRENDRE L'INTERVIEW D'UN ACTEUR À LA RADIO

Serge Michaux est un jeune acteur. Il vient de terminer le tournage de son deuxième film « Un amour difficile ».

JOURNALISTE. —	*Bonjour, Serge. Le tournage de votre film est fini. Quelles sont vos impressions ?*
SERGE.	— Ben… je suis content du résultat. Tout s'est bien passé. Je m'entendais très bien avec Sophie, ma partenaire.
JOURNALISTE. —	*Est-ce qu'il y a eu des moments drôles pendant le tournage ?*
SERGE.	— Oui, un matin j'étais en voiture et j'allais vers le lieu du tournage. Ma voiture tombe en panne. Un camionneur qui me voit, me propose de m'accompagner. Et je suis arrivé à destination en camion !

Écoutez l'interview.

1. À quel sujet Serge est-il interviewé ?

2. Est-il satisfait du résultat ? Pourquoi ?

3. Qu'est-ce qui s'est passé un matin pendant le tournage du film ?
   - ❏ Il ne s'est pas réveillé.
   - ❏ Il a eu une panne de voiture.
   - ❏ Il s'est trompé de route.

4. Comment est-il arrivé sur les lieux du tournage ?

DES CONVERSATIONS (5 points)

1. Imaginez la conversation entre Rodolphe et Frédérique.

Rodolphe, 17 ans, a vu dans le métro son ancien professeur de collège (professeur d'histoire-géo), mais il ne se rappelle plus son nom. Il le décrit à Frédérique qui était en classe avec lui.
– ...

2. Imaginez la conversation entre Sandrine et Mohammed.

Sandrine Aubert reçoit une lettre d'invitation à une journée de présentation de nouveaux médicaments. Mais elle est caissière dans une boutique. Elle téléphone au numéro inscrit dans la lettre. On répond qu'elle a le même nom que le docteur Sandrine Aubert.
Elle raconte cela à Mohammed son copain.
– ...

Vous avez : 5 points. Très bien !
Vous avez moins de 3 points : revoyez les pages 128, 129, 130 et 144, 145, 146 du livre.

DES FORMES (3 points)

3. Remplacez les noms, d'après les indications. Attention aux adjectifs !

1. C'était un garçon curieux. (une fille)
2. Son résultat était moyen. (sa note)
3. Ils étaient très actifs. (elles)

4. Conjuguez les verbes de ce récit.

Dimanche dernier, (pleuvoir). Je (être) à la maison quand je (recevoir) un coup de fil. C'(être) Hillary, elle (téléphoner) de Boston. Elle m'(dire) de te saluer.

5. Mettez ces phrases à la forme passive.

1. On a interrogé le suspect.
2. Le proviseur convoque les parents tous les mois.
3. Les journalistes reçoivent souvent des menaces.

Vous avez : 3 points. Très bien !
Vous avez moins de 1,5 point : revoyez les pages 131, 132 et 156 du livre.

DES SONS ET DES LETTRES (3 points)

6. Écoutez et cochez le son [ɑ̃] [ɔ̃] ou [ɛ̃].

	[ɑ̃]	[ɔ̃]	[ɛ̃]
1.	❑	❑	❑
2.	❑	❑	❑
3.	❑	❑	❑
4.	❑	❑	❑
5.	❑	❑	❑
6.	❑	❑	❑

7. Écoutez et écrivez les mots manquants.

Une ... après son spectacle, la ... partait pour la ... devait participer à la « Journée du ... », en ... des animaux abandonnés.

Vous avez : 3 points. Très bien !
Vous avez moins de 1,5 point : revoyez les pages 134 et 150 du livre.

DE L'ÉCOUTE (3 points)

8. Écoutez et répondez.

1. C'est la météo pour le :
   ❑ 18 février   ❑ 28 janvier   ❑ 8 janvier

2. Quel temps attend-on sur la France ? Du ..., de la ... et de la ... .

3. Où le ciel va-t-il être gris, avec du brouillard ?

4. Le matin ou le soir ?
   Où la neige va-t-elle tomber?

5. Quelles températures prévoit-on dans ces régions ?

6. Quel conseil donne-t-on aux automobilistes ?

Vous avez : 3 points. Très bien !
Vous avez moins de 1,5 point : revoyez la page 135 du livre.

9. **Complétez le tableau.**

1. La journée d'action :

Où	...
Quand	...
Qui	...
Pourquoi	...

2. D'après vous, une journée d'action signifie que :
   ❏ on travaille plus
   ❏ on manifeste dans la rue
   ❏ on fête quelque chose

3. La conclusion de ces manifestations est :
   ❏ négative
   ❏ plutôt positive
   ❏ positive

Vous avez : 3 points. Très bien !
Vous avez moins de 1,5 point : revoyez les pages 152 et 153 du livre.

> Dans différentes villes de France, les infirmiers du secteur public et privé ont organisé, mardi 12 juin, une journée d'action pour demander l'augmentation de leur salaire. Leurs représentants ont été reçus par le ministre de la Santé, Alexandre Guibert. À la fin de l'entretien, madame Alès, infirmière à l'hôpital Pompidou de Paris, a déclaré : « Un premier pas a été fait, mais il faut continuer dans cette direction. »

DES TEXTES (3 points)

10. **Écrivez une courte biographie, à partir des suggestions.**

BOUDON Louis (Biarritz, 1976), coureur cycliste français, 2 fois vainqueur de la *Vuelta* (tour d'Espagne), 1 fois champion du monde junior, 1998, acteur, plusieurs films comme *La clé perdue*...

Vous avez : 3 points. Très bien !
Vous avez moins de 1,5 point : revoyez les pages 154, 155 et 156 du livre.

UTILISER UNE GRAMMAIRE DU FRANÇAIS

Pour vous aider à apprendre, vous devez utiliser une (ou plusieurs) grammaire du français

On en trouve à la fin des manuels d'enseignement (sous forme abrégée), comme dans *Alors ?*. Ce sont des ouvrages à part.

Les grammaires sont des ouvrages de description de la langue. Elles servent à expliquer les fonctionnements de la langue et parfois elles décrivent aussi le « bien parler ». On parle alors de grammaires « normatives ».

Ces descriptions viennent, le plus souvent, des recherches de spécialistes (les linguistes). Elles sont plus ou moins techniques, selon les lecteurs : étudiants spécialisés en français, professeurs, apprenants de français... Elles sont donc plus ou moins faciles à comprendre.

Il faut :

- se familiariser avec sa grammaire : son plan, ses chapitres

- apprendre à consulter l'index : il est le plus souvent constitué de mots grammaticaux (comme *le, donc, dans*...) ou de termes techniques, comme : *verbe, adjectif, futur...* ;

- apprendre à reconnaître les abréviations qui désignent les mots grammaticaux : *adj.* (adjectif), *v.* (verbe), *adv.* (adverbe)... ;

- lire le ou les paragraphe(s) qui se rapport(ent) au sujet recherché. Certaines grammaires se présentent sous forme d'articles classés par ordre alphabétique. La plupart présentent des chapitres organisés et il faut souvent lire une bonne partie de ces chapitres pour bien comprendre les paragraphes précis recherchés ;

- apprendre à examiner les exemples qui sont donnés pour illustrer un fonctionnement et à se servir d'eux pour comprendre la description. Les exemples peuvent être extraits de textes littéraires, de journaux, des conversations de tous les jours ;

- apprendre à comparer des grammaires entre elles : elles ne décrivent pas toujours les phénomènes de la même manière, n'utilisent pas la même terminologie... Elles ne comportent pas les mêmes informations.

▶ **Il faut d'abord se familiariser avec SA grammaire puis en utiliser d'autres ensuite. N'oubliez pas d'utiliser des exemples en contexte. Et quand on ne trouve pas ce que l'on cherche dans une grammaire, il faut retourner consulter un bon dictionnaire !** ◀

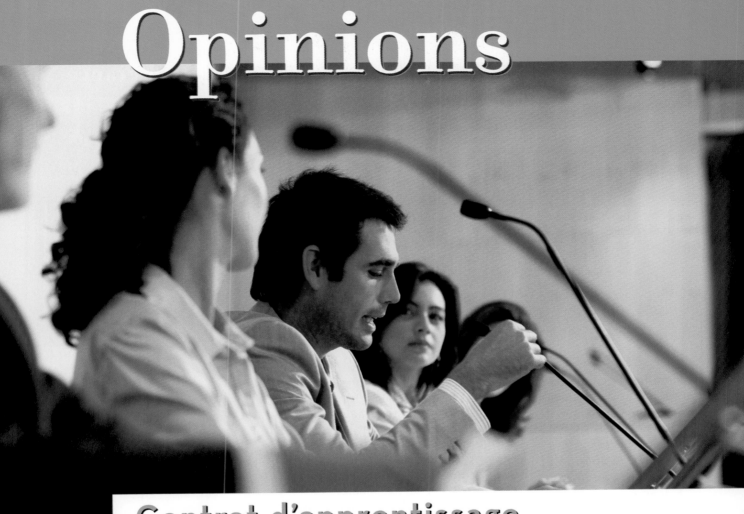

MODULE 5

Opinions

Contrat d'apprentissage

UNITÉ 9 Sûr et certain

Découvertes L'université en France

INTERACTION

DES CONVERSATIONS
▶ exprimer un point de vue,
exprimer une certitude

RÉCEPTION ORALE

DE L'ÉCOUTE
▶ comprendre et apprécier un poème

RÉCEPTION ÉCRITE

DE LA LECTURE
▶ comprendre un appel à participer
à la vie collective

PRODUCTION ÉCRITE

DES TEXTES
▶ écrire une lettre de motivation

UNITÉ 10 Peut-être... peut-être

Découvertes Le système de santé
en France

DES CONVERSATIONS
▶ exprimer l'incertitude, exprimer l'évidence

DE L'ÉCOUTE
▶ comprendre et apprécier une chanson

DE LA LECTURE
▶ comprendre un débat d'idées

DES TEXTES
▶ écrire au courrier des lecteurs

PROJET : Organiser un voyage en France

Découvertes

L'université en France

L'ENSEIGNEMENT SUPÉRIEUR

1 EN FRANCE, l'enseignement supérieur est assuré par les universités et les grandes écoles. Comme dans beaucoup de pays, les universités sont organisées en trois cycles :

- licence (3 ans)
- master (2 ans)
- doctorat (3 ans)

2 ON ENTRE à l'université sans concours, uniquement avec le diplôme de fin d'études secondaires (le baccalauréat).
Il y a environ 1,3 millions d'étudiants. Mais, après la grande augmentation des années 1970-1990 (200 000 environ en 1960), aujourd'hui leur nombre décroît.
L'université est accessible à tous et les droits d'inscription sont modestes. Les débouchés professionnels sont très variables selon la filière choisie, mais il manque des étudiants en sciences. En France, le nombre de chômeurs est élevé (environ 8,5 % de la population active) et un diplôme universitaire ne garantit plus un emploi qualifié immédiatement.

3 SPÉCIFICITÉ FRANCAISE : les grandes écoles : Polytechnique, l'École normale supérieure, l'ENA (École nationale d'administration). C'est à l'ENA que la majorité des cadres de l'État et des hommes politiques sont formés. Les grandes écoles ont été créées au XIXe siècle.
Pour être admis dans les grandes écoles, on prépare des concours dans des classes spéciales dans les lycées : les classes préparatoires (1 an ou 2). Dans ces grandes écoles, très célèbres et recherchées, on suit une formation sur le modèle des formations universitaires.

4 LES DIPLÔMÉS de ces grandes écoles forment une sorte d'aristocratie fondée, en principe, sur le mérite. Mais on constate que les classes populaires sont, de fait, exclues de ces grandes écoles. Selon Pierre Bourdieu, un grand sociologue français, les grandes écoles reproduisent l'ordre social existant.

1. Quelles formations supérieures ?

1. Le sujet du texte concerne :
   - ❏ le nombre d'universités en France
   - ❏ les études après le lycée
   - ❏ le chômage des jeunes

2. L'enseignement supérieur en France comprend seulement l'université ?

3. Quels sont les cycles de l'université ?

4. Y a-t-il un concours pour entrer à l'université ?

5. Les droits d'inscription sont-ils élevés ?

6. Quel est le nombre d'étudiants en France, aujourd'hui ?
   Quelle est la tendance : à la hausse ou à la baisse ?

7. Un jeune qui sort de l'université, est-il sûr de trouver rapidement un travail correspondant à son diplôme ?

8. *Croître* signifie *grandir, augmenter*. Et *décroître* ?

9. *Accès* signifie *entrée*. Que veut dire *accessible* ?

10. Quels mots signifient : *possibilités, opportunités de travail* ?

11. Qu'est-ce que les grandes écoles ?

12. Quelle formation suit-on dans les grandes écoles ?
    Cherchez les adjectifs qui les définissent.

13. Quelles formations sont plus accessibles à tous : l'université ou les grandes écoles ?

14. Que dit le sociologue Pierre Bourdieu des grandes écoles ?

15. Quel mot s'oppose à *classes populaires* ?

> Que pensez-vous :
> – de l'entrée à l'université sans concours ?
> – du système français des grandes écoles ?
> Comment fonctionne votre système universitaire ?
> Pensez-vous qu'il donne les mêmes chances à tout le monde ?

Ça, c'est sûr !

2. Écoutez et lisez.

LAURENT. — Tu as vu dans les journaux ? On augmentera bientôt les droits d'inscription en fac.

PATRICK. — Et alors ? Pourquoi pas ? Ce n'est pas si cher que ça : 300 euros par an, non ?

LAURENT. — Ah d'accord ! Et l'égalité des chances alors ?

PATRICK. — Je suis absolument certain que quand les gens payent de leur poche, ils font plus attention. Et je trouve que beaucoup de jeunes vont à la fac juste pour s'occuper. Et comme c'est surtout l'État qui finance…

LAURENT. — N'importe quoi ! À ton avis, ce n'est pas l'État qui doit assurer l'éducation des citoyens ? Tu veux des facs pour les riches ?

PATRICK. — Je te dis seulement qu'avec des universités payantes, comme dans les pays anglo-saxons, on aurait plus de rigueur, des formations utiles et moins de chômage. Ça, c'est sûr !

LAURENT. — Oh ! là, là ! Laurent, tu vieillis. Conservateur, maintenant ?

> DANS VOTRE LANGUE, COMMENT FAITES-VOUS POUR DIRE QUE VOUS ÊTES CERTAIN DE QUELQUE CHOSE ?

> **Wornema ni posté na lettre bi.** *

* En woloff : Je suis absolument sûre d'avoir posté cette lettre.

3. Écoutez encore et répondez.

1. Dans cette conversation :
❏ on raconte un fait ❏ on demande un conseil ❏ on discute d'un problème

2. On parle : ❏ de l'accès à l'université ❏ du chômage ❏ de la presse

4. Oui, non, ou ?

	Oui	Non	?
1. Les salaires ont augmenté.	❏	❏	❏
2. L'inscription à l'université coûte 300 € environ par an.	❏	❏	❏
3. Laurent pense que l'État doit assurer l'éducation des citoyens.	❏	❏	❏
4. Selon Patrick, les universités où l'on paye beaucoup proposent des formations plus utiles.	❏	❏	❏
5. Laurent est du même avis que Patrick.	❏	❏	❏

5. D'après vous ?

1. La discussion oppose les universités financées en grande partie par l'État et les universités financées par les droits d'inscription (très élevés). Que signifie ici *les gens payent de leur poche* ?

2. Quels mots de Patrick correspondent à *perdre du temps* ?

3. Comment Patrick qualifie Laurent ?

4. Selon vous, *conservateur* s'oppose à :
❏ modéré ❏ progressiste
❏ traditionaliste

Alors ?

• Pour introduire une information, Laurent dit : …
• Pour exprimer une certitude, Patrick dit : …
• Pour demander l'avis de Patrick sur le rôle de l'État, Laurent dit : …
• Écoutez à nouveau et jouez la conversation à deux.

DES MOTS   **Profession et métier**

6. Lisez la liste suivante. Quels mots comprenez-vous ?

Noms

une entreprise	une profession	un directeur	un bureau
une société	un métier	un patron	un contrat
une compagnie	un emploi	un salarié	un salaire
	un stage	un employeur	un curriculum vitae (CV)
	un entretien	un employé	une lettre de motivation
		un stagiaire	

Verbes

signer (un contrat de travail)
chercher (du travail, un travail)
trouver (du travail, un travail)

7. Trouvez les noms de la même famille que :

un emploi   ...
un salaire   ...
un stage   ...

8. À la recherche d'un emploi ?

1. Quand on cherche du travail, on écrit des ... .

2. Avec sa lettre de motivation, on envoie aussi son ... .

3. Avant de commencer à travailler dans une société, on signe un ... .

4. Dans le contrat, on indique les conditions (tâches, horaires) et aussi le ... .

5. Et quand, enfin, on a un salaire, on est ... .

COMMUNICATION

Pour exprimer son point de vue, on dit :
– Je trouve que / Je pense que / Je crois que les étudiants qui n'arrivent pas au diplôme sont trop nombreux.
– Je (te) dis que les choses ne se changent pas facilement.
– À mon avis, la discussion va durer longtemps.

Pour exprimer sa certitude, on dit :
– Je suis absolument / complètement certain / sûr que quand les gens payent de leur poche, ils font plus attention.
– Je sais bien / très bien / parfaitement que le problème est complexe.
– Ça, c'est sûr.
– Notre équipe va gagner, il n'y a pas de doute là-dessus.

Pour introduire une information, on dit :
– *Tu as vu dans les journaux ?*
– *Au fait, tu sais que Martin revient du Pérou ?*
– *Est-ce que tu sais que les voisins vont déménager ?*

9. Complétez les conversations, à partir des situations.

1. Florent veut devenir animateur dans une association sportive. Il est sûr que le sport a une fonction éducative importante pour les jeunes.

FLORENT. – ...
ESTELLE. – Oui, certainement, mais il faut accepter les règles, être disponible. C'est pas évident !

2. Marie introduit une information dans la conversation avec Zoé : Béatrice va se marier avec Franck. La première est sûre que leur amie commune (17 ans) a déjà décidé la date du mariage. Pour Zoé, Béatrice est trop jeune pour se marier.

MARIE. – ...
ZOÉ. – Oh ! là, là ! mais elle trop jeune.
MARIE. – ...
ZOÉ. – ...
MARIE. – ...

3. Gilles et Aziz discutent des changements climatiques (inondations, températures élevées, fonte des glaces, etc.). Mais un scientifique affirme, dans un article, que c'est normal et que ces phénomènes ont toujours existé.

GILLES. – Je n'ai jamais vu un orage si violent en avril ! Les météorologues ont raison : c'est à cause du réchauffement de la planète !
AZIZ. – ...

DES FORMES — Le futur

En français, il y a une forme spéciale pour exprimer le futur. On forme généralement ce temps à partir de l'infinitif, comme le conditionnel :

aimer   *j'aimer-ai*
finir   *je finir-ai*

10. **Voici la conjugaison du futur.**

CONJUGAISON

	FUTUR	
Parler	**Avoir**	**Être**
Je parlerai	J'aurai	Je serai
Tu parleras	Tu auras	Tu seras
Il/Elle parlera	Il/Elle aura	Il/Elle sera
Nous parlerons	Nous aurons	Nous serons
Vous parlerez	Vous aurez	Vous serez
Ils/Elles parleront	Ils/Elles auront	Ils/Elles seront

1. Est que le futur d'*avoir* et d'*être* se forme à partir de l'infinitif ?

2. Quelle est la base du futur d'*avoir* et d'*être* ?

Les **terminaisons** du **futur** sont les mêmes pour tous les verbes.

11. **Complétez le futur de *voir*.**

Voir
Je verrai
…

12. **Remplacez le futur proche par le futur.**

Exemple : Je vais avoir une réponse demain. → *J'aurai une réponse demain.*

1. Les droits d'inscription vont augmenter à la rentrée.

2. Demain, je vais écrire une lettre de motivation à envoyer à L'Oréal.

3. Je suis sûr d'avoir raison mais on va reparler de tout ça.

4. À mon avis, nous allons finir tard ce soir.

5. Tu vas réfléchir, avant de répondre.

6. Vous allez fermer toutes les fenêtres, avant de sortir, d'accord ?

13. **Rémi pense à son avenir une fois son diplôme obtenu. Mettez son récit au futur.**

Le mois dernier, j'ai cherché des offres de travail dans les journaux et sur Internet. J'ai choisi des annonces intéressantes. Puis, j'ai mis mon CV à jour, j'ai écrit une lettre de motivation et je les ai expédiés aux entreprises.

Quand j'aurai mon diplôme…

Le verbe valoir

GRAMMAIRE

Valoir est un verbe irrégulier. Il est utilisé dans la locution impersonnelle :
Il vaut mieux (renoncer au projet) qui signifie : il / c'est préférable de...

Lisez et répétez la conjugaison de valoir.

CONJUGAISON

Valoir

Présent

Je vaux	Tu vaux	Il/Elle vaut
Nous valons	Vous valez	Ils/Elles valent

Quelles sont les bases du présent de valoir ?

14. **Lisez ces phrases et repérez les différents sens de** valoir. **Associez les phrases à l'explication correspondante (1, 2, 3).**

a. Ce tableau *ne vaut rien*.

b. *Il vaut mieux* partir tôt demain.

c. On *fait valoir* nos raisons.

d. Sa ferme *vaut* au moins cent cinquante mille euros.

e. Réagir *vaut mieux* que subir. Tu es d'accord ?

f. Ça *vaut* combien ce cahier, madame ?

• 1. (Il) être préférable de...

• 2. Avoir une certaine valeur (un certain prix)

• 3. Mettre en valeur

15. **Transformez ces phrases : utilisez** valoir.

Exemple : En cas d'incendie, il est préférable de garder son calme.
→ En cas d'incendie, il vaut mieux garder son calme..

1. La valeur de cette montre est de huit mille euros.

2. Il est préférable d'arrêter cette discussion.

3. Dans son CV, il met en valeur ses expériences professionnelles.

4. Un kilo de raisin coûte trois euros.

5. Il faut toujours mettre en valeur ses qualités.

6. Il est préférable d'attendre.

Il y a par et par

> **Dans la conversation p. 166, vous avez rencontré :** *300 euros par an.*
> **Dans ce cas, par indique la distribution comme dans :**
> *un ticket par personne, un jour de congé par semaine.*

GRAMMAIRE

Voici, en résumé, les emplois de par :

1. Pour aller en Italie, je suis passé par le tunnel du Mont-Blanc.

2. Je t'ai envoyé un colis par la poste. Tu l'as reçu ?

3. Nous arrivons à la gare par le train de 15 h 18.

4. Nous sommes invités par les Guyot demain. À quelle heure ?

5. On a payé l'excursion sur la Seine 13 euros par personne.

6. Cet article a été écrit par un économiste connu.

16. Dans les exemples du tableau GRAMMAIRE, quel est l'emploi de *par*, d'après les explications suivantes ?

Par indique :	Phrases	1	2	3	4	5	6
• le passage, le mouvement		❑	❑	❑	❑	❑	❑
• le moyen, l'intermédiaire		❑	❑	❑	❑	❑	❑
• l'agent (personne, chose) d'une action		❑	❑	❑	❑	❑	❑
• la distribution		❑	❑	❑	❑	❑	❑

17. Complétez ces phrases à l'aide de *par* + nom, quand c'est possible.

1. Cette nouvelle a été diffusée hier ... une agence.

2. Nous sommes allés en Bretagne ... .

3. Il faut manger 4 ou 5 fruits ... .

4. Je l'ai prévenu ... .

5. Je passais ... et j'ai vu Corinne.

6. Elle a été embauchée ... comme infirmière.

GRAMMAIRE

Les verbes commencer et finir sont suivis de la préposition par :
On a commencé par une discussion sur l'université.
Ils ont fini par se quitter !

DES SONS   Les liaisons (1)

PHONÉTIQUE

En français, certaines consonnes finales comme **d, t, s, x** ne se prononcent pas : quand, tout, alors, chez.

Mais elles se prononcent devant une voyelle : les amis, les droits ont été augmentés.

C'est la liaison.

18. Écoutez et cochez le son de la liaison que vous entendez.

	[z]	[t]
1.	❏	❏
2.	❏	❏
3.	❏	❏
4.	❏	❏
5.	❏	❏
6.	❏	❏

19. Écoutez et lisez. Reliez la consonne et la voyelle qui notent le son de liaison. (‿)

Exemple : C'est plus utile. [z]

1. Patrick est un grand ami de Laurent. Ils se sont connus à l'université.

2. Quand ils étaient étudiants, eux, ils avaient une bourse.

3. Et maintenant, quelles sont leurs opinions sur l'augmentation des droits d'inscription à l'université ?

4. Pour Patrick, c'est une mesure qui peut rendre l'université plus efficace.

5. Pour Laurent, c'est une décision injuste qui va augmenter l'inégalité des chances.

20. Lisez à nouveau à haute voix : respectez les groupes rythmiques, l'intonation, et les liaisons.

21. Activité du groupe classe

Inventez une réplique de la conversation p. 166. Lisez la réplique. Un étudiant l'écrit au tableau. La classe doit deviner si c'est une réplique de Laurent ou de Patrick. Un autre étudiant ajoute une autre réplique, etc.

Exemple :

Patrick : – Mais il faut voir la réalité ! Trop d'étudiants quittent leurs études !

Laurent : – À mon avis, c'est une mesure injuste ! Voilà tout !

22. Écoutez et répétez à haute voix.

C'était un seau sans eau que Margaux amenait au château.

Et maintenant, à vous !

23. Imaginez et jouez les conversations.

A - Danielle est designer. Elle discute d'un projet de portable avec son équipe. Elle est certaine que son modèle aura du succès auprès des jeunes. Ses collègues trouvent le projet peu agressif et pour un public surtout féminin. (6 répliques)

B - Il y a un match de foot entre l'équipe de France et l'équipe de Norvège. Richard est sûr que la France gagnera, Léo est d'un autre avis. (6 répliques)

C - Il y a les élections législatives au printemps. Deux amis expriment leur point de vue respectif et leur certitude. (5 à 6 répliques)

Comprendre et apprécier un poème

Le prix d'une chanson

24. **Écoutez ce poème d'Alain Bosquet.**

1. Au début, on pose une question au poète ? Quelle question ? Comment répond-il ?

Un poème vaut le prix de choses familières (on utilise l'article défini) et simples comme :
...

ou de choses plus secrètes ou rares comme :
la route qui semble ...
le rossignol qui semble ...
le toit qui semble ...

2. À la fin, on pose une autre question au poète.
Quelle question ?
Comment répond-il ?

> **Quelle est votre impression d'ensemble ?**
>
> **Connaissez-vous des poèmes de ce style dans votre langue ?**
>
> **Est-ce que vous aimez ?**

25. **Écoutez à nouveau. Apprenez-le.**

DES LETTRES **Les consonnes de liaison**

ORTHOGRAPHE

Quand il y a une liaison, la consonne finale et la voyelle forment une syllabe :
grand ami [grɑ̃tami], deux ans [døzɑ̃]

Les consonnes de liaison plus fréquentes sont :

[z]	[t]
-s : il**s a**vaient	-t : tou**t e**st prêt
-z : che**z e**lle	-d : un gran**d e**spoir
-x : un fau**x a**mi	

26. **Écoutez et choisissez la bonne consonne de liaison pour compléter le mot.**

1. *Le*... événements se répètent.   -s   -z
2. *Commen*... allez-vous ?   -d   -t
3. Il est *si*... heures.   -x   -z
4. *Me*... amies arrivent.   -z   -s
5. *Quan*... il veut, il m'appelle.   -t   -d
6. Enzo a *di*... ans.   -s   -x

27. **Dictée. Écoutez et écrivez (attention aux liaisons).**

| Attention ! Avec la conjonction et, il n'y a jamais de liaison.

Aux bureaux, citoyens !

Voici un extrait de l'appel lancé par des personnalités du monde du spectacle, de la culture et du sport et publié par les journaux. Cet appel s'adresse aux jeunes des banlieues pour qu'ils exercent leurs droits de citoyen, en priorité le droit de vote aux élections. Le collectif DEVOIR DE RÉAGIR, qui a écrit cet appel, a été créé à l'automne 2005, après de violentes révoltes des jeunes des banlieues.

APPEL

POUR QUE NOS VOIX COMPTENT, FÉDÉRONS-NOUS !
Le 20 décembre, ALLONS-NOUS INSCRIRE !

« ... Chacun de nous est une voix, chacun de nous a des droits sur les choix sociaux, économiques, culturels et politiques, faisons-les valoir. Nous exigeons que *Liberté, Égalité, Fraternité* s'inscrivent réellement dans notre quotidien. Parce que la société française est composée de nous tous, faisons-nous entendre. »

DEVOIR DE RÉAGIR

[Appel. *Pour que nos voix comptent, fédérons-nous ! Le 20 décembre, allons-nous inscrire !, Le Nouvel Observateur*, 8-14 déc. 2005, p. 63]

28. **Lisez l'introduction et l'extrait de l'appel.**

1. Qu'est-ce qu'un appel, d'après vous ?

2. À qui s'adresse ce texte ?

3. Un appel est fait : ❑ pour convaincre ❑ pour informer ❑ pour protester

29. **Lisez à nouveau tout le document.**

1. *Se fédérer* signifie *s'unir*. Pourquoi se *fédérer* ? Pour que...

2. Le citoyen-électeur exprime son opinion aux élections par le vote.
   Quel mot correspond à *vote* ?

3. Quels droits a chaque citoyen ?

4. *Les* dans *faisons-les valoir* se rapporte aux droits. Selon vous, *faire valoir* signifie :

   ❑ faire peser ❑ faire connaître ❑ faire accepter

5. Quel forme verbale signifie *demander avec force* ?

Savez-vous quelle est la devise de la France ?

S'inscrire (sur les listes électorales) signifie se *déclarer* comme électeur aux autorités.
En France, le citoyen peut ne pas faire cette déclaration et donc il renonce à son droit de vote.
Est-ce que dans votre pays l'inscription sur les listes électorales est automatique ou non ?

D'après cet appel, que peut faire un citoyen pour changer en mieux la société française ?

Lettre de motivation

1

... Mathieu Muller
81, rue Corot
93200 Saint-Denis

Saint-Denis, le... ...

Hydromix
22, rue Miollis
75015 Paris) ...

... Objet : candidature au poste
d'ingénieur commercial

... Madame la directrice des ressources humaines,

... Je me permets de répondre à votre annonce relative à un poste
d'ingénieur commercial dans votre entreprise.

... Mon profil de formation correspond exactement à la définition
du poste. J'ai 27 ans et j'ai déjà une expérience professionnelle
de deux ans dans le domaine de la pisciculture ainsi que de
nombreux stages.

... Cette expérience a confirmé mon sens des relations sociales
et je pense que mes qualités de communication et de persuasion
me permettront de réussir dans la vente.

... De plus, ma maîtrise de plusieurs langues (anglais, italien, russe)
est un atout important pour travailler avec des clients étrangers.

Enfin, j'ai pris connaissance de la définition du poste. Celui-ci
est très intéressant parce que le travail en équipe y est important. J'estime que je peux apporter à votre action ce que vous
cherchez et qu'en retour une insertion professionnelle dans
votre entreprise sera un enrichissement pour moi.

... Je me tiens à votre disposition pour vous exposer mes motivations
lors d'un entretien.

Dans l'attente de votre réponse, je vous prie d'agréer, Madame,
l'expression de mes sentiments les meilleurs.

Mathieu Muller

30. **Lisez la lettre de motivation ci-dessus et répondez.**

1. Qui est le destinataire de cette lettre de motivation ?
2. Quel poste intéresse Mathieu Muller ?
3. Où a-t-il trouvé l'information ?
4. Complétez le tableau et numérotez les parties correspondantes de la lettre p. 176.

1. Adresse du candidat	...
2. Ville, date	...
3. Adresse de l'entreprise	...
4. Objet	...
5. Formule d'adresse	...
6. Raison de la lettre	Répondre à une annonce relative à un poste d'ingénieur commercial dans une entreprise
7. Formation (1ᵉʳ argument)	...
8. Expérience professionnelle (2ᵉ argument)	...
9. Langues connues et qualité(s) (3ᵉ argument)	...
10. Raison de la demande	Poste très intéressant, travail en équipe important
11. Prise de congé	...

31. **Vous postulez pour un poste d'enseignant. Lisez cette lettre de motivation et complétez-la, d'après les suggestions.**

Expérience professionnelle : 1 an d'enseignement, auprès du groupe Eurotel / 2 stages au Centre d'Innovation numérique de Nantes.

Adrien Legrand
65, rue des Tonneliers
49100 Angers

Picomax Formation
12, place Charles Leroux
44000 Nantes

Objet : candidature au poste d'enseignant chercheur spécialisé multimédia

Angers, le 3 septembre 2007

Monsieur le directeur des ressources humaines,

J'ai lu dans *Cadremploi* votre annonce relative à un poste d'enseignant chercheur dans le domaine des multimédias.
(1ᵉʳ argument) J'ai une formation supérieure bac+5 qui correspond au profil que vous recherchez.
(2ᵉ argument) ....
(3ᵉ argument) Je parle trois langues (anglais, espagnol, allemand), je suis rigoureux et disponible et le travail d'enseignant me passionne.
Je serais heureux de travailler dans votre groupe car je pense répondre aux qualités requises pour occuper ce poste.
...

Adrien Legrand

DES FORMES — Celui-ci, celle-là

> **Dans la lettre de motivation p. 176, vous avez lu :**
> *… J'ai pris connaissance de la définition du poste. Celui-ci est très intéressant parce que…*
> **Celui-ci reprend et remplace un terme (objet/personne) déjà exprimé (poste).**
> **En grammaire, on appelle celui-ci, celle-là des pronoms démonstratifs.**
> **Ils combinent l'adjectif démonstratif ce, le pronom personnel lui/elle et (i)ci/là.**

32. Observez ces phases.

a. Francine et Marianne se ressemblent. Mais celle-ci, Marianne, est aimable, celle-là est franchement désagréable.

b. J'aime bien ces deux pulls, mais celui-ci est trop grand et celui-là trop cher !

c. Dans l'interview d'un sociologue américain, celui-ci analyse les problèmes de la cohésion sociale dans notre pays.

d. Cette route est plus courte que celle-là. C'est sûr !

GRAMMAIRE

En général,

• **celui-ci et celle-ci s'utilisent quand l'objet/la personne sont considérés comme proches (dans le temps et dans l'espace) :**
Elle venait de rencontrer sa voisine. Celle-ci lui annonce que…

• **celui-là et celle-là s'utilisent quand l'objet/la personne sont considérés comme éloignés (dans le temps et dans l'espace) :**
Cette annonce est intéressante, mais celle-là l'est encore plus.

---

33. Complétez ces phrases par *celui-ci/là et celle-ci/là*, selon le cas.

1. J'ai pris connaissance de votre CV. … correspond pleinement au profil de notre poste.

2. Les deux candidats sont compétents : … a déjà deux ans d'expérience, mais … connaît trois langues. Qui choisir ?

3. Quelle photo je dois mettre dans mon CV ? … ou … ?

4. J'ai pris connaissance de votre réponse. J'avoue que … ne correspond pas tout à fait à nos attentes.

5. J'ai longuement réfléchi à la question, mais … se révèle toujours difficile à résoudre.

6. Elle a demandé à voir le directeur ou son adjoint. Mais … était en réunion, … était en voyage.

Et maintenant, à vous !

34. Répondez à cette offre d'emploi.
Vous êtes intéressé par un poste de comptable dans une maison de disque. Vous répondez à l'annonce parue dans un journal.

35. Aidez un ami à écrire sa lettre de motivation.
Il postule pour un poste d'infirmier à l'hôpital Bonnet de Fréjus.

OFFRE D'EMPLOI

Nous sommes une maison de disque qui comprend 25 salariés environ.

Nous recherchons un COMPTABLE H / F qui devra effectuer toutes les opérations comptables de la saisie jusqu'à la clôture comptable. Le candidat traitera les paies, effectuera les déclarations et suivi social ainsi que les déclarations fiscales (T.V.A., …).
Profil recherché : BTS comptabilité + une expérience professionnelle d'au moins 2 ans dans la comptabilité.
Pour ce poste, la maîtrise de l'anglais est impérative.
Rémunération : environ 30 K€ + tickets restaurant + 1/2 carte orange

Musicoss
Thierry Antoine
E-mail : ab6recrut1@aol.fr
173, cours de l'Yser
33 000 Bordeaux

Alors, votre français ?

COMMUNIQUER

À l'oral, je peux :

❑ exprimer mon point de vue,   *À mon avis, la discussion va durer longtemps.*
exprimer une certitude   *Je suis absolument certain que...*

À l'écrit, je peux :

❑ écrire une lettre   *Mon profil de formation...*
de motivation

GRAMMAIRE

Je sais utiliser :

Les verbes

❑ le futur des verbes   *J'aimerai...*
aimer, finir, être, avoir   *Tu finiras...*
...   *Je serai...*
   J'aurai...
   ...

❑ le verbe *valoir*
présent   *Je vaux, tu vaux, il vaut...*

❑ les pronoms démonstratifs   *Mais celle-ci est aimable, celle-là est...*
celui-ci/là, celle-ci/là

La syntaxe

❑ la locution :
Il vaut mieux + infinitif...   *Il vaut mieux rentrer.*

NOTIONS ET LEXIQUE

Je sais utiliser les mots concernant :

❑ **Profession et métier**

un métier
un emploi
un stage
un entretien
une entreprise
une société
un contrat
un CV
un bureau
une lettre de motivation
un employeur
un salarié
un directeur...
signer (un contrat)
chercher/trouver du travail

Découvertes

Le système de santé en France

SANTÉ : PROTECTION ET SOIN

La Sécurité sociale est un organisme d'État. Elle finance 75 % des dépenses de soins médicaux. Les mutuelles (mutuelle des enseignants, des agriculteurs...) et les assurances privées offrent une protection complémentaire, si on le souhaite.

L'Assurance maladie (qui est une branche de la Sécurité sociale) protège tous les Français, même les chômeurs et les plus pauvres, contre les risques financiers liés à la maladie. Pour les dépenses de santé, les personnes payent une partie modeste : c'est la collectivité nationale qui assure cette solidarité.

En France, on vit de plus en plus longtemps et les dépenses de santé augmentent. Pour gérer cette nouvelle situation, l'État a créé, par exemple, une subvention qui permet aux plus de 60 ans de bénéficier chez eux de l'aide d'une personne spécialisée. À la fin de l'année 2004, un peu moins d'un million de personnes âgées bénéficiaient de cette subvention (l'allocation personnalisée d'autonomie, APA).

carte d'assurance maladie

vitale

1 79 08 45 234 221 70

80 250 00002 5

EMISE LE 14/11/2001

[D'après *Le système de santé en France*, Haut Comité de Santé Publique, 2000, et *Données Sociales* INSEE, 2006]

1. Quel système de santé ?

1. En France, le système de santé concerne :
   - ❏ la production de médicaments
   - ❏ la formation des médecins
   - ❏ la protection des citoyens contre la maladie

2. Comment s'appelle l'organisme qui finance les dépenses de santé ?

3. Qui a l'assurance maladie ?

4. Repérez dans le texte la phrase correspondant à : *L'espérance de vie augmente* : ...

5. Quelle conséquence a l'allongement de la vie sur les dépenses de santé ?

6. Qu'est-ce que l'allocation personnalisée d'autonomie ?

> Chez vous, comment est organisé le système de santé ?
>
> La santé, c'est l'affaire de l'État ou de chacun ?
>
> Qu'en pensez-vous ?

CAISSE PRIMAIRE D'ASSURANCE MALADIE DE PARIS
Centre d'Hauteville

CENTRE D'HAUTEVILLE
Ouverture
8 H 30 à 17 H 00
pour tous renseignements :
☎
PARIS EN LIGNE
0810 75 33 75
ALLO SECU
0820 900 900

l'Assurance Maladie

J'hésite

2. Écoutez et lisez.

LAURE. – Qu'est-ce que tu vas faire, alors ? Tu quittes ton entreprise pour reprendre tes études ?

XAVIER. – Je ne sais pas trop. Si je laisse tomber mon travail, je vais avoir des problèmes après. Ce n'est pas facile de décider.

LAURE. – Avec un diplôme comme le master, on a plus de chances de trouver un travail intéressant et puis, on peut être mieux payé, c'est certain…

XAVIER. – Mais je n'ai pas beaucoup d'économies. Je ne pourrais plus payer ma mutuelle, mon assurance auto. Et puis les vacances… Ah ! Ça me soûle ! Ça me soûle !

LAURE. – Tes parents peuvent t'aider ?

XAVIER. – Oui, mais j'hésite. Si je leur demande, ils vont dire oui, c'est sûr !

LAURE. – Je comprends.

XAVIER. – Voilà, pas facile tout ça.

DANS VOTRE LANGUE, COMMENT MONTREZ-VOUS QUE VOUS N'ÊTES PAS SÛR(E) DE CE QUE VOUS DITES ?

Nie jestem pewien, że dojadę na czas. To oczywiste! *

* En polonais :
– Je ne suis pas certain d'arriver à l'heure.
– C'est évident !

3. Écoutez encore et répondez.

1. Quel est le sujet de la conversation ?
   ❑ Une décision difficile à prendre.
   ❑ L'argent pour les vacances.
   ❑ Les relations enfants/parents.

2. Qui parle ?
   ❑ Deux amis.
   ❑ Deux connaissances.
   ❑ Un fils et sa mère.

3. Xavier travaille-t-il ?
   ❑ Oui.   ❑ Non.

4. Vrai ou faux ?

1. Xavier voudrait reprendre ses études.

2. Il a des doutes.

3. D'après Laure, il ne doit pas quitter son travail.

4. Xavier a peur d'avoir des problèmes d'argent.

5. Il ne voudrait pas demander de l'aide à ses parents.

6. Laure lui propose de prendre une décision, c'est facile pour Xavier.

5. D'après vous ?

1. *Laisser tomber (Si je laisse tomber mon travail…)* signifie ici :
   ❑ reprendre mon travail   ❑ quitter mon travail   ❑ faire mon travail

2. *Ça me soûle !* dit Xavier. C'est une expression :
   ❑ de colère   ❑ de fatigue, d'exaspération   ❑ de surprise

3. Cette expression est équivalente à :
   ❑ Tous ces problèmes me fatiguent.
   ❑ Tout ça n'est pas clair.
   ❑ Je ne comprends pas ça.

Alors ?

• Pour exprimer son incertitude, Xavier dit : …
• Pour exprimer l'évidence, Laure dit : …
• Xavier fait des hypothèses, comment ? *Si* …
• Pour conclure ses propos, Xavier dit : …
• Écoutez à nouveau et jouez la conversation à deux.

DES MOTS — Certitude, probabilité, possibilité

Noms
la certitude
la probabilité
la possibilité
l'impossibilité

Adjectifs
sûr(e)
certain(e)
inévitable
probable
improbable
possible
impossible

Adverbes
certainement
sûrement
probablement
peut-être
sans doute

LA CERTITUDE

6. Dans les trois listes, regroupez les mots de la même famille (deux ou trois).

Exemple : La probabilité ——— probable...

7. Observez les trois premiers adverbes.

Ils se terminent par -....

Ils se forment à partir du nom ou de l'adjectif ?

> **VOCABULAIRE**
>
> **En général, les adverbes en –ment se forment avec l'adjectif au féminin suivi du suffixe –ment :**
> essentiel/le   essentiellement

Voici des adjectifs. Quels sont les adverbes correspondants ?
premier   particulier   principal   exact   juste

8. Dans cette liste, quels sont les adverbes ?

❏ finalement   ❏ joyeusement   ❏ tremblement   ❏ équipement

❏ entraînement   ❏ verticalement   ❏ activement   ❏ largement

DES RÉPLIQUES   Exprimer son incertitude, exprimer l'évidence

COMMUNICATION

Pour exprimer son incertitude, on dit :
– Je ne sais pas (trop).
– Je ne suis pas sûr(e) que c'est le bon choix.
– Je ne suis pas certain(e) de réussir mon concours.
– J'hésite.
   J'hésite à prendre une décision.

Pour exprimer l'évidence, on peut dire :
C'est certain.
C'est évident.
Il est évident que la situation est délicate.
C'est certain qu'il a des difficultés en maths.

Pour conclure son propos, on dit :
(Bon, ben) voilà quoi.
Donc, le problème est toujours là.
Pour finir/Donc/Bref, il faut encore réfléchir à la question.

Pour conclure son propos d'une manière formelle, on dit :
En conclusion, les résultats sont excellents.
Pour terminer, je vous remercie de votre collaboration.

9. Complétez la conversation.

Jean-Luc voudrait s'acheter une grosse voiture. Il hésite, cette voiture est très chère. S'il fait une demande de prêt à sa banque, il devra payer 600 € par mois pendant dix ans. Il parle de ça à son ami Georges.

JEAN-LUC. – ...

GEORGES. – ...

10. Complétez la conversation.

Les Jakab ont de nouveaux voisins. Madame Jakab voudrait les inviter pour un apéritif, mais elle n'est pas sûre. Elle parle de ça à son mari.

MADAME JAKAB.   – ...

MONSIEUR JAKAB. – ...

MADAME JAKAB.   – Si on les invite, on peut inviter d'autres amis. Ça sera plus sympa !

MONSIEUR JAKAB. – ...

DES FORMES — Lui, leur

Vous connaissez déjà les pronoms personnels objet direct :
Elle m'appelle souvent (Unité 1, p. 17)
Vous connaissez aussi les constructions comme :
téléphoner à, écrire à + **complément d'objet indirect.**
Voici la série des pronoms personnels **dits** d'objet indirect.
Ces pronoms ont la même forme que les pronoms d'objet
direct ; sauf à la 3ᵉ personne singulier et pluriel.

11. Observez le tableau.

GRAMMAIRE

Pronoms personnels sujet	Pronoms personnels objet indirect		
Je	me	Il *m'*écrit toujours.	écrire à
Tu	te	On *te* parle sérieusement	parler à
Il/Elle	lui	Nous *lui* expliquons la règle	expliquer à
Nous	nous	Tu *nous* demandes l'impossible.	demander à
Vous	vous	Elle *vous* a téléphoné ?	téléphoner à
Ils/Elles	leur	Je *leur* réponds par mèl.	répondre à

12. Lisez ces phrases et écrivez à côté OD, pour objet direct, OI pour objet indirect.

a. Ils expriment leur désaccord.   Ils l'expriment.   ...
b. Je téléphone à Jean.   Je lui téléphone.   ...
c. On dit aux enfants d'attendre un peu.   On leur dit d'attendre un peu.   ...
d. Il habite cette maison.   Il l'habite.   ...

	Oui	Non
1. Les noms et les pronoms personnels compléments (objet direct et indirect) correspondants sont à la même place dans la phrase.	❑	❑
2. Ces pronoms se trouvent après le verbe.	❑	❑
3. Ces pronoms se trouvent avant le verbe.	❑	❑

Complétez ce tableau récapitulatif.

	Pronoms personnels			
	3ᵉ personne singulier		3ᵉ personne pluriel	
	Masculin	Féminin	Masculin	Féminin
Sujet	Il	...	...	Elles
Complément d'objet direct	... Exemple : *Luc le/la voit*	la	...	
Complément d'objet indirect	... Exemple : *Je lui téléphone.*		...	

13. Transformez ces phrases : remplacez les noms compléments d'objet direct et indirect par les pronoms personnels correspondants.

Exemple : *Tu téléphone à ta sœur.* Tu vérifies si elle vient demain.
→ Tu lui téléphones.

1. *J'écris à Fred.* Tu connais sa nouvelle adresse mél ?

2. *Nous attendons les délégués syndicaux* pour une réunion.

3. *On invitera tes collègues aussi à la fête ?* Qu'est-ce que tu en dis ?

4. *Ils ont expliqué aux stagiaires* comment maîtriser leur appréhension pendant les entretiens.

5. *Il habitait cette maison* depuis trois ans.

6. *Nous avons parlé à la directrice.* Elle nous a rassurés.

L'impératif affirmatif

Comme vous le savez, les pronoms personnels compléments précèdent le verbe.
Tu <u>me</u> regardes. (complément d'objet direct)
Je <u>lui</u> ai parlé doucement. (complément d'objet indirect)
Vous <u>vous</u> renseignez à l'Office du tourisme. (pronom réfléchi)

GRAMMAIRE

Mais à l'impératif, le pronom suit le verbe :
Dis-nous tout.

Les deux premières personnes du singulier me et te prennent la forme de moi et toi.
Appelle-moi. (Tu *m'*appelles)
Racontez-moi tout. (Vous *me* racontez)
Renseigne-toi au guichet. (Tu *te* renseignes)

Les autres personnes des pronoms personnels compléments d'objet direct (COD) et complément d'objet indirect (COI) ne changent pas de forme à l'impératif :

le/la	Invitez-la.
lui	Parlez-lui.
nous	Accompagnez-nous, s'il vous plaît.
nous	Réponds-nous vite.
vous	Je vous accompagne, madame ?
nous	Dites-nous comment faire.
les	Regardez-les, ils sont charmants !
leur	Demande-leur où ils se trouvent.

14. Mettez ces phrases à l'impératif.

1. Tu te lèves tôt.

2. Vous vous approchez, s'il vous plaît.

3. Nous nous unissons pour compter davantage.

4. Vous me parlez de votre voyage.

5. Tu te soignes bien.

6. Nous nous rencontrons devant la mairie.

Les verbes en -ayer (payer)

CONJUGAISON

Dans les verbes en -oyer, le son [i] notent i (et non y) devant e, es, ent (terminaisons muettes = qui ne se prononcent pas). (Unité 3, p. 57)
Il nettoie

Dans les verbes en -ayer, devant les mêmes terminaisons muettes, il y a indifféremment y ou i :
Tu payes ? [pɛi] **ou** Tu paies [pe]

15. Écoutez et observez. Soulignez les formes où *y* peut être remplacé par *i*.

1. Tu paies en espèces ?
2. Nous payons notre loyer le 25 du mois.
3. Regarde ! Le vent a balayé les nuages !
4. J'essaye encore une fois.
5. Et maintenant, tu balayes ta chambre !
6. Nos locataires paient régulièrement.
7. Cette fois, c'est moi qui paye !

16. Écoutez et complétez les verbes par *y* ou *i*, d'après la prononciation.

1. Ils essa...ent de nous convaincre.
2. Je pa...e tout par carte.
3. Tu bala...es le balcon, s'il te plaît ?
4. Tu pa...es combien par mois ?
5. Il essa...e de prendre la parole, inutilement.
6. Elles pa...ent tout par carte.

« Le vent a balayé les nuages ! »

DES SONS — Les liaisons (2)

Vous connaissez déjà les sons de liaison que notent les consonnes finales d, t, s, x devant une voyelle (voir Unité 9, Des sons, p. 172).
Les consonnes n, r, p devant une voyelle se prononcent aussi :
mon ami, le premier avril, trop amer.

17. Écoutez et cochez le son de liaison entendu.

	[n]	[ʀ]	[p]	autre
1.	☐	☐	☐	☐
2.	☐	☐	☐	☐
3.	☐	☐	☐	☐
4.	☐	☐	☐	☐
5.	☐	☐	☐	☐
6.	☐	☐	☐	☐
7.	☐	☐	☐	☐
8.	☐	☐	☐	☐
9.	☐	☐	☐	☐

18. Écoutez et répétez. Attention à la liaison.

1. Ton avion arrive à quelle heure ?
2. Il a trop insisté pour me convaincre.
3. Le siège d'*Immovente* ? Le premier immeuble, là.
4. Son hésitation est compréhensible.
5. Lui, c'est un bon ami de mes parents.
6. Dans l'immobilier à Paris, les prix flambent !

19. Activité du groupe classe

Deux étudiants inventent deux répliques où l'on exprime l'hésitation au sujet de quelque chose (un voyage, une proposition de travail...). Ils les écrivent et les jouent à haute voix en veillant à la prononciation (intonation, rythme, accents...).

Et maintenant, à vous !

20. Imaginez et jouez les conversations.

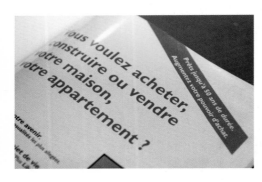

A - Michaël et Christine Deleuvre, jeune couple, veulent acheter un appartement. Ils ont trouvé quelque chose, mais le prix est un peu trop cher et l'appartement se trouve dans un quartier qui est assez loin de leur lieu de travail. Ils en parlent.

B - Arthur est un jeune chercheur nucléaire. Il voudrait partir en Angleterre : un centre de recherche lui a fait une proposition très intéressante, mais... Imaginez la conversation avec son meilleur ami.

C - Alexandra a des voisins très sympathiques mais... bruyants (volume de la musique très haut, fêtes qui durent jusqu'à tard dans la nuit...). Elle voudrait leur demander de faire plus attention. Elle parle de cela à sa collègue Xu.

Comprendre et apprécier une chanson

Quelle est votre impression sur cette chanson ? Qu'est-ce qu'elle dit sur la France d'aujourd'hui ?

Ma France à moi

21. **Écoutez un extrait de cette chanson, le nombre de fois nécessaire.**

1. Quel est son rythme ?   ☐ mélodique   ☐ rap   ☐ rock

2. C'est le portrait de …
Dans cet extrait de *Ma France à moi*, il y a deux parties : le refrain, ce que *Ma France à moi* **n'est pas** et un couplet, plus long, **ce qu'elle est**.

22. **Écoutez encore.**

1. Dans le refrain, la France de Diam's est décrite à la forme négative, par opposition à quelle autre France ?

2. Dans le couplet, quelle France décrit-on ?
☐ conservatrice   ☐ moderne   ☐ jeune   ☐ sportive
☐ intolérante   ☐ ouverte   ☐ technologique
Comment *Ma France à moi* communique-t-elle ?

Diam's

DES LETTRES   **Les liaisons (2)**

> **Comme pour les consonnes de liaisons s, z, x, t, d** (Unité 9, p. 173), **les consonnes finales n, r, p et les voyelles (ou un –h dit muet :** *huit***) du mot qui suit forment une syllabe (même si elles appartiennent à deux mots différents) :**
> *le premier avion, trop aimable, ton argent.*

23. **Écoutez et complétez par la bonne consonne de liaison.**

1. Le dernie… enfant des Laborde a u… an.
2. Il est plus rapide que so… ombre, comme Lucky Luke !
3. To… appartement est au premie… étage ?
4. Sto… à la pollution !
5. On dit que le premie… amour ne s'oublie jamais.
6. So… amie ? Elle s'appelle Mélina.

Le h « aspiré » et le h « muet »

ORTHOGRAPHE

La lettre h ne note pas un son : elle n'est pas prononcée en français. Le h dit « aspiré » comme : le hall, la Hollande, **note l'absence de consonne de liaison. Le caractère aspiré ou non dépend de chaque mot. Le h aspiré interdit aussi l'élision et produit une suite de deux sons vocaliques :** le haut de la porte [lə o].

Par contre, le h dit « muet » autorise l'élision et la liaison : l'homme, l'histoire.

24. **Écoutez et complétez par le bon mot (article ou préposition) devant *h*.**

1. Il n'a pas …heure !
2. Tu entends … hurlements !
3. … Hongrie fait partie de l'Union européenne.
4. … hirondelles sont arrivées !
5. Tu dois me croire ! Parole …honneur !
6. C'est … honte pour nous tous.

25. **Dictée.**

Progrès collectif et mondialisation

À l'occasion des élections présidentielles du printemps 2007, deux théoriciens de la modernité, Edgar Morin et Luc Ferry, ont débattu au siège du journal *Le Monde* sur le sujet : *Où va la France ?* Voici un extrait du dialogue entre les deux hommes qui répondent à la question : *Comment restaurer des idéaux collectifs dans une démocratie comme la nôtre ?* C'est une question cruciale dans nos sociétés à l'économie développée : l'exclusion et l'individualisme augmentent, la réussite personnelle fondée sur l'argent semble l'emporter sur les valeurs de solidarité et de progrès collectif.

Luc Ferry

Né en 1951, près de Paris, Luc Ferry est professeur de philosophie à Paris VII. Il a été ministre de l'Éducation nationale de 2002 à 2004. Son dernier ouvrage : *Familles, je vous aime. Politique et vie privée à l'âge de la mondialisation* (2007).

" Comment restaurer des idéaux collectifs dans une démocratie comme la nôtre ? "

Edgar Morin

Né à Paris en 1921, Edgar Morin est l'un des intellectuels les plus éminents de notre époque, à la fois philosophe, sociologue, anthropologue, historien. Dans son ouvrage le plus important, *La Méthode* (6 volumes), écrit entre 1977 et 1991, il propose une autre manière de penser le monde.

Luc Ferry – Avec la mondialisation, le progrès est devenu un processus largement automatique et aveugle. À vrai dire nous ne savons même plus si le progrès est un progrès. Nous permettre de fabriquer notre histoire : telle est la promesse de la démocratie. Mais aujourd'hui, la logique des marchés financiers, par exemple les délocalisations, entraîne une véritable dépossession démocratique. [...] Or, il n'y a plus de démocratie si l'on ne parvient pas à reprendre la main sur le cours du monde. Pour répondre à cette question le niveau national est devenu souvent insuffisant. Seule la construction européenne pourrait un jour nous permettre de reprendre la main. De mettre en avant le monde commun.

Edgar Morin – Une démocratie à l'échelle planétaire n'est pas présentement possible. Une démocratie à l'échelle européenne mettra du temps à s'instaurer, via des partis et des syndicats transnationaux. Je crois, malgré tout qu'il existe au niveau de la France la possibilité d'une politique de civilisation. Cette politique passerait par la revitalisation des campagnes, l'humanisation des villes, la restauration de la qualité de la vie, la création d'institutions de solidarité. Le sujet humain est doté de deux logiciels indissociables : un logiciel égoïste et un logiciel altruiste. La potentialité altruiste, qui s'actualise à des moments critiques – on l'a vu pour le tsunami –, est généralement sous-développée. La politique a un rôle à jouer pour développer cette potentialité fraternelle. [...]

26. Quel débat ?

1. Le sujet de ce débat concerne :
   - ❏ le rapport entre la démocratie et la mondialisation
   - ❏ l'histoire de l'Union européenne
   - ❏ l'opposition entre les pays pauvres et les pays riches dans le monde

	Oui	Non
2. Le progrès économique avance dans le monde.	❏	❏
3. La seule loi du marché mondial réduit les pouvoirs des États et menace la démocratie.	❏	❏
4. Ces problèmes sont impossibles à résoudre dans un seul pays.	❏	❏
5. La politique doit encourager le succès personnel fondé sur l'argent.	❏	❏

27. Lisez une partie à la fois.

1. Les idéaux collectifs s'opposent aux idéaux :   ❏ généraux   ❏ individuels   ❏ humains
   Selon L. Ferry, pourquoi aujourd'hui le progrès ne se contrôle pas ? À cause de quel phénomène ?
   Quels adjectifs définissent « ce » progrès ? Sont-ils négatifs ou positifs ?
   Quel est l'espoir de L. Ferry ?

2. *Délocaliser* se dit d'une entreprise qui s'installe dans des pays où le coût du travail est peu cher. Cela crée des conséquences économiques en France et en Europe occidentale, avec beaucoup de gens qui perdent leur travail.
   Dans **dé**localiser, le préfixe *de-* indique l'action inverse (voir unité 3, p. 53).
   Que signifient alors **dé**posséder/**dé**possession ?
   Quels mots utilise le philosophe pour dire : *restaurer les idéaux collectifs* ?

3. Pour E. Morin, quelle démocratie serait nécessaire aujourd'hui ?
   Une démocratie qui réunit les pays européens est-elle possible maintenant ?
   Et dans le futur ?

4. Quelle politique est alors possible pour la France aujourd'hui ?
   Comment devrait-on la réaliser ? Par...
   Qu'est-ce qui ne va pas dans notre société ?
   – Les campagnes sont abandonnées, vides
   – Les villes ne sont pas faites pour...
   – ...

5. Quel mot de l'informatique est utilisé pour *altruisme* et *égoïsme*, son opposé ?
   Selon E. Morin, qu'est-ce qu'il faut encourager chez l'homme ?

Que pensez-vous de ce débat ?

Est-ce que les conséquences de la mondialisation de l'économie (délocalisations, licenciements, concurrence très forte des produits...) constituent un problème dans votre pays ?

D'après vous, y a-t-il un espace pour développer « la potentialité altruiste » dans nos sociétés ?

Courrier des lecteurs

On écrit au courrier des lecteurs pour des raisons différentes. Par exemple, il y a les réactions à des articles publiés dans le journal. Les lecteurs sont souvent en désaccord avec le journal et assez polémiques (lettre A).
Il y a aussi des points de vue de lecteurs sur l'actualité. Ces lecteurs expriment leur opinion sur un sujet qui leur tient à cœur (lettre B).

A

Cher directeur,

Je suis un lecteur fidèle de votre quotidien. J'ai lu dans votre numéro du 23 mai, l'article de Claude Tristouze « Paris, ville propre ». Le journaliste affirme, entre autres, que « La pollution dans le centre-ville a baissé de 9 % surtout grâce à la réduction de la circulation automobile et l'efficacité des transports en commun ». Je ne suis pas du tout d'accord avec cette analyse ! Quels transports ? M. Tristouze a-t-il expérimenté l'impossibilité de trouver un taxi aux heures de pointe ? A-t-il raté un train parce que le métro s'arrête brutalement dans un tunnel pendant de longues minutes ?
A-t-il fait du vélo dans les couloirs pour cyclistes où circulent aussi les bus ?
Je suis désolé, mais je ne partage pas du tout l'optimisme de votre écologiste de service et je tenais à vous le dire.
Salutations distinguées
Christophe Sivardière
Enghien-les-Bains (Val d'Oise)

B

Cher directeur,

Je suis un Anglais francophile et je suis régulièrement le débat de la campagne électorale sur les réformes sociales à réaliser. Je voudrais donner un conseil aux Français et aux Françaises que je respecte tant et que j'admire. Évitez à tout prix, chers amis, de faire ce que nous avons fait en Grande-Bretagne grâce aux années Thatcher et Blair. Notre pays est de plus en plus divisé. L'écart entre nos riches et nos pauvres s'élargit de plus en plus, nos services médicaux sont en désordre, notre culture est américanisée et notre participation à l'UE est faible.
Meilleures salutations
Joe Flynn
Edinburgh (Grande-Bretagne)

28. Lisez ces courriers, un à la fois.

1. Pour quelle raison le lecteur Christophe Savardier écrit-il au journal ?
Est-ce qu'il développe des arguments pour expliquer son désaccord ?
Sous quelles formes (syntaxique) ces arguments sont-ils présentés ? Comment ?

2. Voici les arguments du lecteur formulés d'une autre manière. Repérez les phrases correspondantes dans la lettre.
– On n'arrive pas à trouver de taxi aux heures de pointe.
– Il n'y a pas de transports efficaces dans notre ville.
– Le métro s'arrête parfois dans un tunnel et les voyageurs arrivent en retard à leurs rendez-vous.

3. Comment est défini le journaliste à la fin de la lettre ? D'après vous, cette expression est polémique ou gentille ?
Être de service se dit d'un employé qui accomplit son devoir de ... heure à ... heure.
Plus généralement, nom + *de service* se dit de quelqu'un qui fait les choses parce qu'il est là et qu'il doit donc les faire. Que signifie ici *votre écologiste de service* ?

4. À quel sujet le lecteur anglais écrit-il au journal ?
À qui s'adresse-t-il ? Comment ?
Combien d'arguments le lecteur anglais développe-t-il pour expliquer son conseil ?

29. Lisez à nouveau et complétez le tableau.

	Courrier A	Courrier B
Formule d'adresse	...	*Monsieur...*
Identification	*Je suis...*	
Raison du courrier	Désaccord avec...	Conseil aux...
Arguments	1	1
	2	2
	3	3
	4	4
	5	5
Conclusion		
Salutations de congé	...	...

30. Mettez les parties de ce courrier dans l'ordre.

– Je trouve que c'est un mauvais choix !

– Cher directeur,

– Salutations distinguées.
Nathalie Chapsal
Lyon

– Je lis votre hebdomadaire depuis quinze ans et je constate qu'il y a trop de publicités stupides dans le magazine.

– Pourquoi faire la promotion des 4x4 ? Ces voitures sont extrêmement polluantes !

– Je désapprouve totalement votre politique et je tenais à vous faire part de ma désapprobation.

A-t-il fait du vélo ?

GRAMMAIRE

En français, on peut poser des questions avec l'intonation (montante) :
Tu rentres tard, ce soir ? **ou bien avec est-ce que** : Est-ce que tu rentres tard ce soir ?

Il y a une troisième manière dite « à inversion », le pronom personnel sujet se trouve alors après le verbe :
M. Tristouze a-t-il expérimenté l'impossibilité de trouver un taxi ?

L'interrogation « à inversion » est plus fréquente à l'écrit (à l'exclusion de la correspondance personnelle, entre amis, famille, etc.) et, à l'oral, dans des situations formelles (quand on s'adresse à un supérieur, à une personne inconnue…).

31. **Observez ces phrases.**
a. Monsieur le directeur, est-il rentré ?
b. Mon cher, as-tu mesuré les conséquences de ta décision ?
c. Avez-vous oublié qu'un journal doit surtout informer ?
d. Toute publicité est-elle acceptable ?

1. Dans quelles phrases le verbe est-il au passé composé ?

2. Où se trouve le pronom personnel sujet ?
   ❑ Après l'auxiliaire *avoir* ou *être*.
   ❑ Après toute la forme verbale (auxiliaire + participe passé).

GRAMMAIRE

Si le verbe est au passé composé, le pronom personnel sujet est après l'auxiliaire *être* **ou** *avoir*.

Attention ! Le t entre a et i, comme dans A-t-il fait du vélo ?, **sert de liaison entre deux voyelles :**
A-t-on prévenu les intéressés ? / Parle-t-elle russe ? / Habite-t-il dans ce quartier ?

32. **Voici des phrases affirmatives. Transformez-les en phrases interrogatives à inversion.**

1. Vous pouvez m'indiquer le bureau de monsieur Mériguet.
   Madame, …

2. Il faut attendre la fin du scrutin pour les résultats.

3. On peut dire de pareilles stupidités et se croire un journal intelligent.

4. Votre rédacteur en chef a oublié les règles élémentaires d'objectivité.
   Votre rédacteur en chef, …

5. Vous ignorez quelle sera la conséquence de vos choix.

6. Nous aurons la chance de voir nos idéaux se réaliser.

Et maintenant, à vous !

33. **Écrivez au courrier des lecteurs, d'après les situations.**

1. Le lecteur Sofiane Benamou intervient sur le problème des violences dans les stades.

Il donne des conseils aux « sportifs » et développe des arguments pour expliquer son point de vue.
Suggestions : encourager, soutenir, insulter, agresser, unir, diviser, la haine, la provocation, aberrant, intolérable...

2. Baudouin Leterme réagit à la publication trop fréquente de sondages, à l'occasion des élections. Ces sondages sur les intentions de vote des gens donnent souvent des résultats contradictoires. Conséquences : confusion, idée de ne pas compter grand-chose parce que tout est déjà décidé.
Anvers (Belgique)

3. Vous écrivez à un journal français pour intervenir sur un problème qui intéresse beaucoup l'opinion ou sur un article paru récemment.
...

Alors, votre français ?

COMMUNIQUER

À l'oral, je peux :
❏ exprimer l'incertitude	*Je ne sais pas trop.*
exprimer l'évidence	*C'est évident.*

À l'écrit, je peux :
❏ écrire au courrier des lecteurs	*Monsieur le directeur, je suis un lecteur...*

GRAMMAIRE

Je sais utiliser :

Les verbes
❏ l'impératif	*Parle-moi*
	Rencontrez-vous.
❏ les verbes en -ayer	*Tu paies ?*
	Elle essaye encore.

La syntaxe
❏ l'interrogation à inversion	*A-t-il/fait-il du vélo ?*
❏ les pronoms	
pronoms personnels objet	*Il me parle*
	Nous lui expliquons
	Je les mange.

NOTIONS ET LEXIQUE

Je sais utiliser les mots concernant :

❏ certitude, probabilité, possibilité

Noms
la certitude
la probabilité
...

Adjectifs
sûr/e
certain/e
inévitable
...

Adverbes
certainement
sûrement
probablement
...

Organiser un voyage en France

Et si on organisait un voyage en France… On vous propose de choisir un petit village où vous aurez l'opportunité de voir de près comment vit une petite communauté autour de son école, sa mairie, son bureau de la poste, ses commerces…

● **Première étape : où aller ?**

Vous allez choisir la région (l'Auvergne, la Normandie, la Bretagne, la Bourgogne, l'Alsace…), puis le village. Vous décidez aussi la durée de votre séjour (1 semaine, ce serait bien). Vous allez travailler en groupes.

Cherchez des informations sur Internet, dans une bibliothèque, demandez conseil à votre professeur, au service culturel de l'Ambassade, les agences de tourisme, l'office de Tourisme régional, la Chambre (régionale) du Commerce et de l'Industrie. À la fin de la recherche, faites une liste des destinations « possibles ».

Condition 1 : la présence d'un hôtel / une pension / une auberge de jeunesse / une colonie de vacances pour vous héberger.

Condition 2 : la disponibilité à vous faire participer à la vie du village.

● **Deuxième étape : le voyage**

Le premier groupe se renseignera sur :
– les transports à utiliser pour arriver dans le village choisi (avion, train, car) ;
– les prix approximatifs.

Vous allez rechercher par Internet, par lettre ou par téléphone, les compagnies aériennes, la société des chemins de fer ou de cars pour comparer ensuite les prix.

Il faudra préciser : les villes de départ et d'arrivée, les dates, le nombre et l'âge des voyageurs pour pouvoir profiter des tarifs de groupe.

● **Troisième étape : l'hébergement**

Le deuxième groupe s'occupera de l'hébergement. Très probablement il faudra passer par la mairie ou l'Office de tourisme (s'il en existe un). Vous aurez des adresses d'hôtels, de pensions, d'habitants…. Vous vérifierez les disponibilités par message ou par courrier. N'oubliez pas de préciser : qui vous êtes (nom de votre établissement, ville, pays) et le nombre de personnes qui forment votre groupe, le nombre de nuits à passer sur place, les jours et l'heure d'arrivée et de départ.

● **Quatrième étape : l'emploi du temps**

Le troisième groupe organisera les visites que vous souhaitez faire pour « participer à la vie du village ». Vous organiserez les visites : jour, heure, transport.

Pendant une séance commune en classe, chaque groupe fera un compte rendu de sa partie de projet. Vous discuterez, vous améliorerez les propositions et… BON VOYAGE !!

Compréhension de l'oral

COMPRENDRE UNE CONVERSATION

🔘 **Écoutez et répondez.**

Dans une petite ville du Sud-Ouest, Laguiole, deux personnes discutent...

1. Qui parle à qui ?

2. Quels prénoms avez-vous entendus ?
   ❏ Marie et Julienne
   ❏ Julie et Hélène
   ❏ Élodie et Fabienne

3. La nouvelle annoncée, c'est la création de :

4. Qui a donné cette nouvelle à la première jeune fille ?
   ❏ Son père.
   ❏ Le maire.
   ❏ Sa mère.

5. Pourquoi la seconde jeune fille a des doutes ?

6. L'école va ouvrir :
   ❏ le mois prochain
   ❏ l'année prochaine
   ❏ la semaine prochaine

7. Cette école, c'est quelque chose de positif pour Laguiole ?
   Pourquoi ?

DES CONVERSATIONS   (5 points)

1. Complétez la conversation entre Aurélien et Fabrice, 18 ans.

Aurélien est sûr qu'une amie commune, Saïda, veut partir au Canada pour poursuivre ses études. Fabrice n'est pas au courant de cette décision et il est très surpris.

AURÉLIEN. – Au fait, tu sais que Saïda veut partir au Canada pour faire ses études là-bas.
FABRICE. – ...

2. Complétez la conversation entre Martin et Henri.

On a proposé à Martin, 27 ans, un emploi d'assistant commercial à... Saint-Pierre-et-Miquelon, un archipel français en Amérique du Nord. Repérez cet archipel sur une carte et vous comprendrez pourquoi Martin a des doutes... Il parle de cela à son copain Henri.

– ...

Vous avez : 5 points. Très bien !
Vous avez moins de 3 points : revoyez les pages 166, 167, 168 et 182, 183, 184 du livre.

DES FORMES   (3 points)

3. Mettez les phrases au futur.

1. *Je passe chez toi, ce soir.*
2. *On voit ça plus tard.*
3. *Il finit par renoncer à tout.*
4. *Ils ont un bon traitement.*

4. Formez des phrases et ajoutez un pronom personnel complément indirect, d'après les indications.

1. Il / envoyer, présent / un CV (ils)
2. Je / demander conseil (elle, passé composé)
3. Nous / payer / le restaurant (il, présent)
4. On / répondre (je, passé composé)

5. Mettez à l'impératif.

1. Vous nous parlez clairement.
2. Tu m'écris demain.

3. Vous me payez par chèque.
4. Vous lui dites de revenir à 3 heures.

Vous avez : 3 points. Très bien !
Vous avez moins de 1,5 point : revoyez les pages 169, 185 et 186 du livre.

DES SONS ET DES LETTRES   (3 points)

6. Écoutez et cochez le son de la liaison que vous entendez.

	[z]	[t]
1.	☐	☐
2.	☐	☐
3.	☐	☐
4.	☐	☐
5.	☐	☐
6.	☐	☐

7. Écoutez et complétez les mots qui manquent.

1. Le ...octobre, c'est ... anniversaire.
2. Il ... allé ... Islande.
3. ... elles, ... est bien rangé.

Vous avez : 3 points. Très bien !
Vous avez moins de 1,5 point : revoyez les pages 172, 173, 188 et 189 du livre.

DE L'ÉCOUTE   (3 points)

8. Écoutez cet enregistrement et répondez.

1. À quoi ressemble ce texte de Prévert ?

2. Où cela se passe ?

3. Qui parle à qui ?

4. Que fait le serveur ?

5. D'après le client, pourquoi cela n'est pas possible ? Additionner des chose d'... ... est ... .

6. Est-ce que le ton de cette « conversation » est sérieux ?

Vous avez : 3 points. Très bien !
Vous avez moins de 1,5 point : revoyez la page 173 du livre.

9. Lisez et répondez.

> **Le sociologue Dominique Wolton, fondateur de l'Institut des sciences de la communication, répond à la question :**
>
> **Communique-t-on plus mal aujourd'hui ?**
>
> D. W. – Pendant des siècles, l'incommunication était directement un facteur de guerre et de conflits. Beaucoup ont cru que la communication technique réussirait là où la communication humaine échoue souvent. Toutefois, malgré les performances techniques, les hommes ne se comprennent pas mieux. Ils échangent de plus en plus vite des informations de plus en plus nombreuses. En fait, nous découvrons plus vite l'incommunication avec les autres. La vrai question de la communication est de cohabiter et de tolérer les autres.
>
> [D'après : *Valeurs mutualistes*, Cahier MGEN, mai/juin 2007, « La communication humaine : un champ à défricher », p. 17]

1. Il est question de la capacité des hommes :
   ❏ à communiquer
   ❏ à se déplacer
   ❏ à travailler

2. Est-ce que les nouvelles technologies rendent plus facile la compréhension entre les hommes ?

3. Qu'est-ce qui a changé dans la communication par rapport au passé ?

4. Qu'est-ce qu'on découvre finalement ?

5. Qu'est-ce qui doit être à la base de la communication humaine ?

6. Quels mots signifient :
   – manque de communication ?
   – vivre ensemble ?

Vous avez : 3 points. Très bien !
Vous avez moins de 1,5 point : revoyez les pages 190 et 191 du livre.

10. Écrivez un courrier à un journal d'après les indications.

Céline Guez, de Montpellier, écrit à son journal. Elle remarque que celui-ci donne de plus en plus d'importance aux faits divers (accidents, meurtres, vol) : cela satisfait une curiosité plutôt négative. Le journal néglige en même temps des informations importantes sur la politique, l'économie, la société. Écrivez le courrier de Céline.

...

Vous avez : 3 points. Très bien !
Vous avez moins de 1,5 point : revoyez les pages 192 et 194 du livre.

Cher directeur,

Je suis une lectrice fidèle de votre quotidien...

S'EXERCER

Pour apprendre, il faut s'entraîner

Pour une langue, on peut faire cela en communicant à l'écrit, à l'oral, en parlant avec des gens. On peut aussi s'entraîner seul en utilisant sa grammaire (voir p. 162), en réalisant son dictionnaire personnel (voir p. 124.) ou en faisant des exercices.

Les exercices sont une forme d'entraînement particulier, puisqu'ils consistent à automatiser des fonctionnements précis et limités, alors que des activités comme parler, écrire... impliquent de mobiliser diverses ressources. Avec les exercices, on traite un problème à la fois.

Les exercices portent sur un fonctionnement formel précis (par exemple, la négation avec *ne... plus*). On parle alors d'exercices de grammaire : ce sont les plus nombreux. Il y a aussi des exercices pour apprendre à mieux lire ou à mieux rédiger, comme dans *Alors ?*.

Les exercices comprennent une consigne qui décrit ce qu'il faut faire : compléter, transformer, reformuler... une phrase donnée, par exemple.
Cette consigne est souvent accompagnée d'un exemple de ce qu'il faut faire.
Ensuite, il y a une série d'éléments (numérotés), plus ou moins nombreux suivant les manuels pour s'entraîner à un fonctionnement particulier. Il convient de lire de très près ces éléments, car leur sens peut avoir des conséquences sur l'activité systématique à faire. Faire des exercices sans s'occuper du sens ne sert à rien.

Dans vos grammaires, vos manuels ou dans ceux que vous trouverez en bibliothèque ou dans les centres de ressources, recherchez les domaines où vous voulez vous entraîner (les verbes pronominaux, les manières de refuser...) et recherchez les exercices systématiques correspondants.

▶ **Un exercice a pour but de créer des automatismes. Dans ce cas, il n'implique pas de réflexion mais des réponses, souvent orales, rapides.**
Il peut aussi avoir un but réflexif : vous devez alors observer le fonctionnement de la langue pour comprendre une régularité du français. Dans ce cas, on le réalise par écrit et on se donne le temps de réfléchir, de consulter la grammaire, si nécessaire, et de se corriger. L'essentiel n'est pas la réponse / la réalisation de la consigne mais la justification de la réponse donnée. Il faut éviter de répondre au hasard et bien comprendre que les exercices sont faits pour apprendre et non pour obtenir une note. ◀

Langues de France

RUE
JAUME ROUX

CARRIERO
DÓU FOUR-NÒU

Mô Reine

Vous apprenez le français de France. Mais il y a d'autres formes du français en Belgique, au Québec, en Suisse, dans de nombreux états d'Afrique. Et, en France, il y a aussi d'autres langues que le français.

Be m'agrada...

[...]
Be m'agrada la covinens sazos
E m'agrada lo cortes temps d'estiu
E m'agradon l'auzel, quan chanton « piu »,
E m'agradon floretas per boissos
E m' agrada tot so qu'als adregz platz
E m'agrada mil tans lo bels solatz :
Don per mon grat jauzirai lai breumen,
On de bon grat paus mon cor e mon sen.
[...]

Peire Vidal, XIIe.

Écoutez.
1. Connaissez-vous cette langue ?
   À quelle langue vous fait-elle penser ?

Écoutez encore.
2. Quels mots reconnaissez-vous ?
   D'après vous, que veut dire :
   temps d'estiu (pensez au français : estival)
   mon cor ?

La langue de cet extrait d'un poème est la langue d'oc, utilisée encore aujourd'hui dans la partie sud de la France.

Bien me plaît l'avenante saison (avenante = agréable)
Et me plaît le courtois temps d'été,
Et me plaisent les oiseaux quand ils chantent « piu »
Et me plaisent les petites fleurs dans les buissons,
Et me plaît tout ce qui plaît par raison
Et me plaisent mille fois autant les beaux entretiens
(entretiens = rencontre, conversation)
Dont je jouirai à mon gré d'ici peu
Là où je mets mon cœur et mes sentiments de bon gré

Écoutez à nouveau en suivant sur la version française.
3. Est-ce que comprenez maintenant ?

C'est un poème d'amour écrit au XIIᵉ siècle par Peire Vidal,
troubadour (actif entre 1183-1204), protégé du Comte de Provence.
4. Qu'est-ce qui montre que c'est un poème ?
   Quel thème poétique reconnaissez-vous ?
   Où fait-on allusion à la femme aimée ?

C'est un poème « courtois », chanté dans les cours des seigneurs et
qui célèbre l'amour de manière subtile.
5. Quelles différences voyez-vous entre le français et la langue d'oc ?

Comme l'italien et d'autres langues romanes, l'occitan a conservé
des consonnes (finales, entre voyelles) et des voyelles finales.
Aujourd'hui, il est enseigné à l'école primaire à environ 50 000 élèves.

Sé mwen lanmou

Toc-toc, toc-toc !
Qui frappe à ma fenêtr' ?
Sé mwen lanmou
Sé mwen pen-dou sikré
Dèpi dézé
Lapli ka mouyé-mwen
Pa pityé, pa imanité
Wouvé lapòt-la ban-mwen
[...]

Mwen ka travay
Si jou dan la simenn
Twa jou pou mwen
Twa jou pou doudou-mwen
Sanmdi rivé
Béké pa ka péyé-mwen
Tifi-la pwan pwagna
Pou-li pwagnawdé-mwen
[...]

Armand Siobud, *Ban-mwen on ti bo.*

Écoutez.
1. Connaissez vous cette langue ?
   À quelle langue vous fait-elle penser ?

Écoutez encore.
2. Quels mots reconnaissez-vous ?

Ne tenez pas compte de l'écriture (par exemple *sé* note c'est).
Écoutez les paroles de cette chanson d'amour tragique. Comprenez-vous :
mwen
dépi dézé
travay

D'après vous, que veut dire :
Lapli ka mouyé-mwen, si *lapli* = la pluie
Wouvé lapòt-la si *lapòt-la* = la porte ?

Le texte de cette chanson est en créole, langue à base de mots français. Ici, c'est du créole de la Martinique et de la Guadeloupe (îles des Caraïbes)

Toc-toc, toc-toc

Qui frappe à la fenêtre ?

C'est moi mon amour

C'est moi ton pain doux sucré

Depuis deux heures

La pluie me mouille

Par pitié par humanité

Ouvre-moi ta porte

Je travaille

Six jours par semaine

Trois jours pour moi

Trois jours pour ma doudou

Mais samedi est arrivé

Le béké ne m'a pas payé
(béké = patron blanc)

Elle a pris le poignard

Pour me poignarder
[...]

Écoutez à nouveau en suivant sur la version française.
3. Est-ce que comprenez maintenant ?

Le béké n'a payé le travail fait et c'est le drame. Le thème de l'amoureux qui attend sous la fenêtre est classique mais cette fois cela tourne très mal. Ce texte a été composé par Armand Siobud (1865- 1943) musicien et chef de la société musicale « La Minerve » à Pointe-à-Pitre.
4. Connaissez-vous des histoires ou des chansons du même genre ?

5. Quelles différences voyez-vous entre le français et le créole ?

Les créoles à base française sont parlés dans les Départements d'outre mer (Guadeloupe, Guyane, Martinique, Réunion). Ce sont des langues inventées au XVIIe siècle par les esclaves africains au contact de leurs maîtres français. Cela a été leur manière de s'approprier le français. On estime à 1 800 000 les personnes qui utilisent les créoles.

TRANSCRIPTIONS

MODULE 1 FORMULES

UNITÉ 1 Excuses et vœux

DES FORMES

Activité 19 p. 19

Nous appelons un médecin tout de suite.
Je m'appelle Sylviane et toi ?
Elle achète toujours des fleurs.
Enlève ce pull ! Il fait chaud, voyons !
Vous jetez ça, immédiatement !
Nous achetons tout dans le quartier.
Qu'est-ce que tu jettes ?

DES SONS

Activité 22 p 20

1. des jeunes
2. la circulation
3. un jour
4. le déjeuner
5. le fromage
6. les remerciements

Activité 23 p 20

1. Jacques est un journaliste sportif très brillant.
2. Tatiana est informaticienne et actuellement en congé maternité.
3. Christine, elle, elle est juriste.
4. Gérard est comptable mais au chômage depuis quelques mois.

Activité 24 p 20

1. Jacques et Tatiana sont des jeunes mariés.
2. Ils ont un petit jardin.
3. À l'apéritif, ils ont servi des jus de fruit.
4. Pour les invités, ils ont préparé un plat traditionnel : le gigot aux flageolets.
5. Ils ont servi le fromage à la fin du repas, comme d'habitude.
6. Beaucoup de gens invitent des amis à la maison, surtout en fin de semaine.

DE L'ÉCOUTE

Activité 28 p 21

Excusez-nous

A. À cause d'un bagage suspect, le train de 15 h 05, quai 6, à destination de l'aéroport de Paris Charles de Gaulle, ne prend pas de voyageurs. Excusez-nous pour la gêne occasionnée.
B. Henri, salut ! C'est Gilles ! Je ne peux pas venir chez toi demain, je regrette. J'ai une réunion imprévue, alors... Je suis vraiment désolé. Amusez-vous bien quand même ! À plus.

DES LETTRES

Activité 31 p 21

1. Le message
2. La gêne
3. Bonjour
4. Gilles
5. Le bagage
6. Les gens

Activité 32 p 21

1 La joie
2 Les voyages
3 Des images
4 Les jours
5 Les jeunes
6 Un jus de fruit

UNITÉ 2 Bravo et merci

DES SONS

Activité 20 p 36

1. Service
2. ici
3. fille
4. grille
5. pays
6. billet

Activité 21 p 36

1. Au standard, on ne comprend pas bien le nom de Camille.
2. Dans le train, il y a du bruit et la communication est dérangée.
3. Camille va annoncer une bonne nouvelle à son amie, Véronique.
4. Elle a un billet de première classe, mais le train est plein.
5. Au téléphone, Véronique félicite son amie.
6. Camille fait vraiment une belle carrière.

DE L'ÉCOUTE

Activité 25 p 37

Viviane en ligne

A. Animateur – Il y a Viviane, de Sète, en ligne. Bonjour Viviane. Alors, quelle chanson désirez-vous écouter ?

Viviane – *Caravane*, chantée par Raphaël.

Animateur – À qui dédiez-vous cette chanson ? À quelqu'un de la famille, à un ami ?

Viviane – À Yves, mon fils. Pour son avancement. Il est officier sur le porte-avions Charles de Gaulle

Animateur- Voulez-vous dire quelque chose à Yves ?

Viviane –Yves ! Je pense bien à toi ! Et bravo pour l'avancement !

B. Animateur – Bonjour, Clément. Vous téléphonez d'où ?

Clément – J'appelle de Bordeaux.

Animateur – La chanson que vous avez choisie, c'est …

Clément- *La Mer*, de Charles Trenet.

Animateur – Ah, un grand classique ! Vous la dédiez à qui ?

Clément – À ma tante Dorothée.

Conducteur – Un petit mot pour tante Dorothée ?

Clément – Compliments pour le nouvel appart à Nice, Tata !

DES LETTRES

Activité 27 p 37

1. Un employé
2. Des informations
3. Les félicitations
4. Mon pays
5. Une personne brillante
6. Un billet de train

ÉVALUATION MODULE 1

DES SONS ET DES LETTRES

Activité 5 p 46

1. les jambes
2. les chambres
3. le jeu
4. la gymnastique
5. le chien

Activité 6 p 46

1. Tu as un billet et de première classe ?
2. Marseille ? C'est le premier port de France !
3. Tu connais cette fille, là ?

Activité 7 p 46

1. J'appelle de la gare. Tu m'entends ?
2. Nous achetons une nouvelle voiture, à Noël !
3. Cet enfant jette tout par la fenêtre ! C'est pénible !

DE L'ÉCOUTE

Activité 8 p 46

– Bonjour, Alain. Vous téléphonez d'où ?
– Bonjour, Jean-Luc. J'appelle de Caen.
– Alors, Jean-Luc, quelle chanson vous choisissez ?
– *Du soleil au cœur*, de Céline Dion,
– Vous la dédiez à qui, Jean-Luc ?
– À ma copine Françoise. Elle fait un stage de marketing à Toulon.
– Qu'est-ce que vous voulez dire à Françoise ?
– Je pense à toi, mon amour. Bonne fête ! Et reviens vite !

MODULE 2 ACTIONS

UNITÉ 3 Faire et dire

DES FORMES

Activité 18 p 57

a. J'envoie des méls.
b. Tu appuies sur cette touche.
c. Nous envoyons Luc te chercher.
d. N'appuyez pas trop fort !
e. Ils nettoient le trottoir.
f. Tiens ! Le chien aboie.

DES SONS

Activité 21 p 58

1. bien viens
2. veau beau
3. banc vent
4. vis bis

Activité 22 p 58

1. Hier, Benoît devait monter un meuble.
2. Son père est allé le voir.
3. Ensemble, ils ont réussi à monter la bibliothèque.
4. Elle est en bois.
5. Elle va très bien dans le bureau de Benoît.

DE L'ÉCOUTE

Activité 25 p 59

Appuyez sur la touche étoile

Bonjour. Bienvenue au service d'informations de la préfecture de Police.

Appuyez sur la touche *étoile* de votre clavier téléphonique.
Si votre demande concerne :
– une carte nationale d'identité ou un passeport, tapez 1
– une carte d'immatriculation d'un véhicule, tapez 2
– un permis de conduire, tapez 3.
Pour toute autre demande, tapez 4.
Pour écouter à nouveau ce message, tapez étoile.

DES LETTRES

Activité 27 p 59
1. bienvenue
2. bloquer
3. voir
4. visser
5. brancher
6. venir

Activité 28 p 59
Bienvenue sur la messagerie de *Bullservice*. Si votre système d'alarme est en panne, tapez 1.
Si vous avez oublié votre code, tapez 2. Si vous avez besoin d'autres informations, tapez 3 : un technicien va vous répondre. L'attente prévue est de 2 minutes maximum.

UNITÉ 4 Faire ci ou faire ça

DES SONS

Activité 18 p 74
1. Charles
2. chambre
3. jardin
4. chez lui
5. Jacques
6. chose

Activité 19 p 74
1. Clara voudrait faire quelque chose pour la Pentecôte.
2. Charles, son mari, hésite.
3. La jeune femme trouve Deauville trop snob.
4. Charles fait une autre proposition : aller chez ses parents.
5. On a l'impression que Clara préfère rester chez elle.

Activité 21 p. 74
Chez Georges et Jeanne, il y a toujours une chambre pour un copain.

DE L'ÉCOUTE

Activité 24 p 75
Recette du jeudi
Présentateur – Bienvenue à notre émission du jeudi, *Cuisine régionale*. Avec nous, notre chef. Bonjour Michèle. De quoi nous parlez-vous aujourd'hui ?
Michèle – D'une spécialité du Sud-Est, les aubergines à la provençale. C'est très bon !
Présentateur – Quels sont les ingrédients, Michèle ?
M. – Alors, pour 6 personnes, il faut 6 aubergines, 1kilo de tomates, de l'ail, du persil, 1 verre d'huile d'olive, sel et poivre.
P. – Comment on fait ? C'est facile ?

M – Vous pelez les aubergines et vous les coupez en tranches.
Mettez les tranches dans la farine et puis dans l'huile brûlante. Voilà, comme ça !
P. – Et après ?

DES LETTRES

Activité 26 p 75
1. le chef-cuisinier
2. les aubergines
3. la chose
4. Richard
5. le citron
6. la Provence

Activité 27 p 75
1. Coupez le rôti en tranches.
2. Faites une chose à la fois.
3. Servez froid, avec des cornichons.
4. Le restaurant Chez Michèle a une belle terrasse où l'on mange l'été.
5. Les champignons poussent quand il fait chaud et humide.

ÉVALUATION MODULE 2

DES SONS ET DES LETTRES

Activité 6 p 84
1. Les vacances
2. les vœux
3. les bruits
4. la ville
5. le branchement
6. les voisins

Activité 7 p 84
1. Qu'est-ce que tu cherches, au fait ?
2. Tu m'aides à monter ce meuble dans la chambre ?
3. Voilà quelque chose d'intéressant !

DE L'ÉCOUTE

Activité 8 p 85
Bienvenue chez SPR. Vous pouvez aussi retrouver nos services sur trois fois w. SPR. point com.
Vous avez reçu le premier et le deuxième avis de passage ? Notre chauffeur va repasser le premier jour ouvrable, du lundi au vendredi, à la même adresse. Si vous avez besoin de plus de renseignements sur votre colis, merci de rester en ligne. Un opérateur va vous répondre.

MODULE 3 SENTIMENTS

UNITÉ 5 Cœur et santé

DES SONS

Activité 19 p 96
1. un homme courageux
2. un enfant calme
3. des toits gris
4. un couple d'amis
5. un groupe de jeunes
6. quelqu'un de bien

Activité 20 p 96
1. Il y a quelques jours, Quentin a téléphoné à Flora.
2. C'est qu'il trouve la jeune femme sympathique.
3. Il lui a proposé de se rencontrer.
4. Flora a hésité un peu, puis elle a dit oui.

5. Quand finalement ils se sont vus, ils avaient l'air heureux.

Activité 22 p 96
Les gants de Quentin sont grands et quelques peu coûteux

DE L'ÉCOUTE

Activité 23 p 97
Quand rien ne va
Je pense à toi.
T'es mon soleil
Plus jamais froid
Le monde est gris,
Il ne sourit pas !
Mon truc à moi,
Je pense à toi.

Quand tout est trouble
Et me déçoit
C'est toi qui brilles
La pluie s'en va
Le monde en rie ?
Toujours pas.
Mon truc à moi,
Je pense à toi.

Ce matin chaque chose me pèse
Le moindre détail devient casse-pieds
J'passe encore à côté d'une bonne journée
Alors je pense à toi

Quand rien ne va
Je pense à toi.
T'es mon soleil
Plus jamais froid
Le monde est gris,
Il ne sourit pas !
Mon truc à moi,
Je pense à toi.

The sky is grey
You make my day
The thought of you
Clouds move away
The world's morning
Not happy to be
I think of you
You make my day

J'ai des jours où les questions m'arrosent
La nuit tombe et j'en suis toujours là
J'pense à toi et les fleurs
Reprennent leurs couleurs
Je n'ai plus peur.

Quand rien ne va
Je pense à toi.
T'es mon soleil
Plus jamais froid
Le monde est gris,
Il ne sourit pas !
Mon truc à moi,
Je pense à toi.

Quand tout est trouble
Et me déçoit

C'est toi qui brilles
La pluie s'en va
Le monde en rie ?
Toujours pas.
Mon truc à moi,
Je pense à toi.
Axelle RED, *Je pense à toi*, 2004.

DES LETTRES

Activité 26 p 97
1. combien
2. comment
3. quand
4. cœur
5. écouter
6. curieux

UNITE 6 Problèmes, problèmes

Activité 19 p 112
1. grand
2. grave
3. climatisation
4. Guillaume
5. goût
6. question

Activité 20 p 112
1. Guillaume n'a pas l'air en forme.
2. Il est un peu angoissé. Ça se comprend.
3. Son asthme s'est aggravé, malheureusement.
4. La conséquence c'est qu'il doit arrêter le sport. C'est pénible pour lui !
5. Maxime le rassure. Il lui dit que ça se soigne.
6. Guillaume est sensible aux signes d'amitié de Maxime. C'est ça, les copains !

DE L'ÉCOUTE

Activité 24 p 113
Espoir : une molécule anti-tabac
Journaliste : – Et maintenant un espoir pour des millions de fumeurs. Un nouveau médicament, *Nicostop*, vient d'être autorisé. Docteur Guénard, quelles sont les caractéristiques de ce médicament qui aide les fumeurs à s'arrêter de fumer ?
Dr. Guénard : – C'est une molécule qui se fixe dans le cerveau et bloque le besoin de fumer.
Journaliste : – Est-ce que ses effets sont immédiats ?
Dr. Guénard : – Non. Ce médicament a une action graduelle : au début, les patients continuent de fumer quelques cigarettes, mais ils arrêtent petit à petit. Ils ont l'impression d'avoir fumé.
Journaliste : – Est-ce que le fumeur arrive à guérir complètement ?
Dr. Guénard : – Oui. Dans la plupart des cas, il n'y a plus de dépendance à la nicotine.

DES LETTRES

Activité 26 p 113
1. soigner
2. guérir
3. la cigarette
4. le signe
5. la guerre
6. graduel

ÉVALUATION MODULE 3

DES SONS ET DES LETTRES

Activité 7 p 122
1. la campagne
2. le quai
3. le guide
4. l'angoisse
5. le groupe
6. la question

Activité 8 p 122
1. C'est une longue histoire.
2. J'ai le cœur qui bat.
3. On s'est rencontré quand ?

DE L'ÉCOUTE

Activité 9 p 122
Comment vont être choisis les régimes alimentaires du futur ? Un vaste programme de recherche européen étudie le lien entre les graisses consommées et les maladies liées à l'obésité.
À Marseille, on a suivi pendant 7 ans 1750 hommes et femmes, de 45 à 60 ans. Les chercheurs pensent qu'à l'avenir, chaque personne va avoir un régime alimentaire personnalisé.
Mais il y a une première conclusion : le professeur Denis Lairon et son équipe ont mis 212 personnes au régime méditerranéen. Au menu : poisson, légumes frais et huile d'olive.

MODULE 4 RÉCITS

UNITÉ 7 C'est qui ? C'est comment ?

DES FORMES

Activité 10 p 131
grand/grande
mince/mince
léger/légère
concret/concrète
vif/vive
bon/bonne
moyen/moyenne
gros/grosse
gras/grasse

Activité 11 p 131
1. Petite
2. Heureuse
1. Blonde
2. Secrète

DES SONS

activité 19 p 134
1. blond
2. blanc
3. mince
4. sombre
5. chilienne
6. italien

Activité 20 p 134
1. Magali ne se souvient pas du nom d'un acteur connu. Ah ! La mémoire !
2. Céline ne comprend pas de qui elle parle. Ce n'est pas clair du tout.
3. L'acteur en question est grand, athlétique et il a une cinquantaine d'années.
4. À la description, Céline comprend qu'il s'agit de Jean Réno. Enfin !
5. Karim cherche son copain Clément.
6. La concierge de l'immeuble lui demande le nom de Clément.
7. Finalement elle comprend et elle indique à Karim à quel étage habite son ami.

DE L'ÉCOUTE

Activité 23 p 135
Voici le bulletin météo de ce dimanche, 8 juin.
Dans toute la France, persistance d'un temps nuageux et humide. Au nord - ouest ,
développement d'orages parfois violents, surtout sur la côte atlantique. Sur la moitié nord,
dans la région parisienne et dans le centre, ciel couvert avec de faibles pluies.
Au sud, vents très forts accompagnés de quelques éclaircies dans la matinée. Pour la journée de demain, on prévoit une nette amélioration avec l'arrivée de l'anticyclone des Açores. Températures stables, entre 17 et 25 degrés du nord au sud.

DES LETTRES

Activité 25 p 135
1. Le bulletin météo d'hier prévoyait du temps pluvieux dans le nord.
2. Dimanche dernier, il y a eu du soleil partout.
3. Pour mardi 2 juin, les prévisions météo sont mauvaises.
4. La persistance d'une zone orageuse est prévue dans le bassin parisien.
5. Le développement d'orages parfois violents invite à la plus grande prudence.
6. L'anticyclone va intéresser toutes les régions atlantiques.

Activité 26 p 135
1. mon copain
2. son ancien collègue
3. un garçon intelligent
4. des voisins silencieux
5. son cousin australien
6. un grand ami

UNITÉ 8 Et après ? Et après ?

DES SONS

Activité 19 p 150
Il était deux heures, je rentrais à la maison. En face, sur le trottoir, une femme avec une valise et, derrière, un jeune homme. D'un seul coup, il accélère, lui arrache la valise et lui dit : « Je peux vous aider, madame ? ».

Activité 20 p 150
La semaine dernière, Alexis était à Strasbourg. Il arrivait juste à l'hôtel quand tout à coup, deux hommes sont arrivés dans le hall. C'étaient des gardes du corps.
Ils ont demandé aux gens de laisser passer quelqu'un, une personnalité politique. Heureusement pour lui, cela n'a pas duré longtemps.

Activité 23 p 151

Bordeaux-Dax

Envoyé spécial : – D'abord, nos félicitations au vainqueur de cette 12e étape du Tour de France Bordeaux– Dax !
Alors, Sylvestre Bornicaud, quels ont été les moments les plus importants de cette étape ?
Coureur-cycliste (Sylvestre Bornicaud) :
– Voilà ! Je voulais absolument gagner cette étape. C'est ma région, ici. Ce matin, tous mes coéquipiers étaient prêts à m'aider. À 80 km de Bordeaux, j'ai fait une première échappée, mais le peloton m'a rattrapé. J'ai attendu une demi-heure avec deux autres coureurs de mon équipe et on a fait une deuxième tentative. Et on a gagné ! Le peloton est arrivé loin derrière, avec plus de cinq minutes de retard ! Je suis très content ! Remporter cette victoire chez moi, c'est super !

DES LETTRES

Activité 25 p 151

1. Un enseignant
2. Une première tentative
3. La douzième étape
4. Un fait extraordinaire
5. Quelle victoire !
6. Une belle fête

Activité 26 p. 151

1. Un vainqueur
2. Une chanteuse
3. Des vœux
4. Le courrier du cœur

Activité 27 p 151

Le vainqueur de la dernière étape du Tour de France s'appelle Sylvestre. C'est un jeune homme de 24 ans. Il est né dans le Sud-Ouest, près de Bordeaux. Il a toujours aimé le vélo. À 18 ans, il est coureur cycliste amateur, puis deux ans après, il participe à la course Paris -Nice. Et aujourd'hui, Sylvestre a remporté l'étape Bordeaux –Dax dans sa région.

PRÉPARATION AU DELF A2 MODULE 4

Compréhension de l'oral p. 159

Journaliste (femme) : – Bonjour, Serge. Le tournage de votre film est fini. Quelles sont vos impressions ?
Serge : – Ben… je suis content du résultat. Tout s'est bien passé. Je m'entendais très bien avec Sophie, ma partenaire.
Journaliste : – Est-ce qu'il y a eu des moments drôles pendant le tournage ?
Serge : – Oui, un matin j'étais en voiture et j'allais vers le lieu du tournage.
Ma voiture tombe en panne. Un camionneur qui me voit, me propose de m'accompagner. Et je suis arrivé à destination en camion !

ÉVALUATION MODULE 4

DES SONS ET DES LETTRES

Activité 6 p. 160

humain
grand
bon
mince
blond
Intéressant

Activité 7 p. 160

Une heure après son spectacle, la chanteuse partait pour la Grèce devait participer à la « Journée du cœur », en faveur des animaux abandonnés.

DE L'ÉCOUTE

Activité 8 p 160

La météo d'aujourd'hui, 8 janvier. Pour la journée d'aujourd'hui, on attend du froid, de la pluie et
de la neige sur tout l'Hexagone. Des côtes de la Manche à l'Atlantique, ciel gris et brouillard dans la matinée avec une nette détérioration en soirée, des pluies fines et du vent.
Dans le Centre, la neige va faire son apparition à partir de 500 mètres.
Dans les régions du sud et dans les Alpes, on prévoit une baisse des température jusqu'à moins cinq dans la nuit, avec des tempêtes de neige, surtout à l'intérieur des terres.
Météo France conseille aux automobilistes la plus grande prudence.

MODULE 5 OPINIONS

UNITÉ 9 Sûr et certain

DES SONS

Activité 18 p 172

1. Ils vont à la fac.
2. Elles étudient les langues.
3. Vous êtes sûr ?
4. C'est un ami.
5. Quand ils discutent, ils crient.
6. Chez eux, il y a de la place

Activité 19 p 172

1. Patrick est un grand ami de Laurent. Ils se sont connus à l'université.
2. Quand ils étaient étudiants, eux, ils avaient une bourse.
3. Et maintenant, quelles sont leurs opinions sur l'augmentation des droits d'inscription à l'université ?
4. Pour Patrick, c'est une mesure qui peut rendre l'université plus efficace.
5. Pour Laurent, c'est une décision injuste qui va augmenter l'inégalité des chances.

Activité 22 p 172

C'était un seau sans eau que Margaux amenait au château.

DE L'ÉCOUTE

Activité 24 p 173

Le prix d'une chanson
– Ça vaut combien, votre chanson ?
– Ça vaut très peu :
la lune, le caillou,
le sourire caché,
la route revenant d'un long voyage,
l'oubli sur une lèvre,
le rossignol qui soigne mal son rhume,
le toit trop bleu
et les deux tiers de la cascade.
– Ça vaut combien, votre poème ?
– Ça vaut beaucoup : votre cœur et le mien.
Alain Bosquet, «*Le prix d'une chanson*», *Le cheval applaudit, Je ne suis pas un poète d'eau douce.*

DES LETTRES

Activité 25 p 173

1. Les événements se répètent.
2. Comment allez-vous ?
3. Il est six heures.
4. Mes amies arrivent.
5. Quand il veut, il m'appelle.
6. Enzo a dix ans.

Activité 26 p 173

1. Elles avaient des avis différents.
2. Il arrive à trois heures.
3. Elle est employée à la mairie.
4. La fête est chez Valérie.
5. J'ai encore deux heures de route.
6. Il y a eu 70 % de votants aux élections législatives.

UNITÉ 10 Peut-être… peut-être

DES FORMES

Activité 15 p 187

a. Tu paies en espèces ?
b. Nous payons notre loyer le 25 du mois.
c. Regarde ! Le vent a balayé les nuages !
d. J'essaye encore une fois.
e. Et maintenant, tu balayes ta chambre !
f. Nos locataires paient régulièrement.
g. Cette fois, c'est moi qui paye !

Activité 16 p 187

1. Ils essaient de nous convaincre.
2. Je paie tout par carte.
3. Tu balaies le balcon, s'il te plaît ?
4. Tu paies combien par mois ?
5. Il essaie de prendre la parole, inutilement.
6. Elles payent tout par carte.

DES SONS

Activité 17 p 188

1. Ton copain
2. Son enfant
3. En Amérique
4. Au dernier étage
5. La première fois
6. Un fier imbécile
7. Beaucoup à dire
8. Trop aimable
9. Très impatient

Activité 18 p 188

1. Ton avion arrive à quelle heure ?

2. Il a trop insisté pour me convaincre.

3. Le siège d'Immovente ? Le premier immeuble, là.

4. Son hésitation est compréhensible.

5. Lui, c'est un bon ami de mes parents.

6. Dans l'immobilier à Paris, les prix flambent !

DE L'ÉCOUTE

Activité 21 p 189

*Ma France à moi elle parle en SMS,
travaille par MSN,*

Se réconcilie en mail et se rencontre en MMS,

Elle se déplace en skate, en scoot ou en bolide,

Basile Boli est un mythe et Zinedine son synonyme.

Elle, y faut pas croire qu'on la déteste mais elle nous ment,

Car nos parents travaillent depuis vingt ans pour le même montant,

Elle nous a donné des ailes mais le ciel est V.I.P.,

Peu importe ce qu'ils disent elle sait gérer une entreprise.

Elle vit à l'heure américaine, KFC, MTV Base

Foot Locker, Mac Do et 50 Cent.

Elle, c'est des p'tits mecs qui jouent au basket à pas d'heure,

Qui rêvent d'être Tony Parker sur le parquet des Spurs,

Elle, c'est des p'tites femmes qui se débrouillent entre l'amour,

les cours et les embrouilles,

Qui écoutent du Raï, RnB et du Zouk.

Ma France à moi se mélange, ouais, c'est un arc-en-ciel,

Elle te dérange, je le sais, car elle ne te veut pas pour modèle.

{Refrain: x2}

C'est pas ma France à moi cette France profonde

Celle qui nous fout la honte et aimerait que l'on plonge

Ma France à moi ne vit pas dans le mensonge

Avec le coeur et la rage, à la lumière, pas dans l'ombre

DIAM'S, *Ma France à moi*, 2006.

DES LETTRES

Activité 23 p 189

1. Le dernier enfant des Laborde a un an.

2. Il est plus rapide que son ombre, comme Lucky Luc !

3. Ton appartement est au premier étage ?

4. Stop à la pollution !

5. On dit que le premier amour ne s'oublie jamais.

6. Son amie ? Elle s'appelle Mélina.

Activité 24 p 189

1. Il n'a pas d'heure !

2. Tu entends ces hurlements ?

3. La Hongrie fait partie de l'Union européenne.

4. Les hirondelles sont arrivées !

5. Tu dois me croire ! Parole d'honneur !

6. C'est la honte pour nous tous.

Activité 25 p 189

Quand on doit prendre une décision difficile, on hésite. Souvent on demande conseil à un ami. Cela aide à réfléchir et à avoir les idées plus claires. L'incertitude et le doute sont naturels chez l'homme et ils sont des signes d'ouverture et de maturité.

PRÉPARATION AU DELF A2
MODULE 5 p 197

ÉVALUATION MODULE 5
Activité 6 p 198

Les annonces paraissent le jeudi.
Ils ont rédigé leur CV
Les réponses ont été envoyées.
Les amis sont toujours là.
Quand on rentre, on discutera de tout ça.
Cet article est bien écrit.

Activité 7 p 198

1. Le premier octobre, c'est mon anniversaire.

2. Il est allé en Islande.

3. Chez elles, tout est bien rangé.

DE L'ÉCOUTE

Activité 8 p 198

LE CLIENT

Garçon, l'addition !

LE GARÇON

Voilà. *(Il sort son crayon et note.)* Vous avez… deux œufs durs, un veau, un petit pois, une asperge, un fromage avec beurre, une amande verte, un café filtre, un téléphone.

LE CLIENT

Et puis des cigarettes !

LE GARÇON *(il commence à compter)*.

C'est ça même… des cigarettes… Alors ça fait…

LE CLIENT

N'insistez pas, mon ami, c'est inutile, vous ne réussirez jamais.

LE GARÇON

!!!

LE CLIENT

On ne vous a donc pas appris à l'école que c'est ma-thé-ma-ti-que-ment impossible d'additionner des choses d'espèce différente !

LE GARÇON

!!!

LE CLIENT, *élevant la voix.*

Enfin, tout de même, de qui se moque-t-on ?… Il faut réellement être insensé pour oser esayer de tenter d'«additionner» un veau avec des cigarettes, des cigarettes avec un café filtre, un café filtre avec une amende verte et des œufs durs avec des petits pois, des petits pois avec un téléphone… Pourquoi pas un petit pois avec un grand officier de la Légion d'honneur, pendant que vous y êtes !

Il se lève.

Non, mon ami, croyez-moi, n'insistez pas, ne vous fatiguez pas, ça ne donnerait rien, vous entendez, rien, absolument rien… pas même le pourboire !

Et il sort en emportant le rond de serviette à titre gracieux.

Jacques PRÉVERT, «*L'addition*», *Histoires*

Activité 1 p 202

Be m'agrada la covinens sazos
E m'agrada lo cortes temps d'estiu
E m'agradon l'auzel, quan chanton « piu »,
E m'agradon floretas per boissos
E m' agrada tot so qu'als adregz platz
E m'agrada mil tans lo bels solatz :
Don per mon grat jauzirai lai breumen,
On de bon grat paus mon cor e mon sen.
Peire Vidal, XIIᵉ.

Activité 1 p 204

Toc-toc, toc-toc !
Qui frappe à ma fenêtr' ?
Sé mwen lanmou
C'est moi, mon amour
Sé mwen pen-dou sikré
C'est moi, ton pain doux sucré
Dépu dézé
Depuis deux heures
Lapli ka mouyé-mwen
La pluie me mouille
Pa pityé, pa imanité
Par pitié, par humanité
Wouvé la pòt-la ban-mwen
Ouvre-moi la porte

Refrain
Ban-mwen on ti bo, dé ti bo,
Donne-moi un baiser, deux baisers,
Twa ti bo doudou
Trois baisers, ma chérie
Ban-mwen on ti bo, dé ti bo,
Donne-moi un baiser, deux baisers,
Twa ti bo lanmou
Trois baisers, mon amour
Ban-mwen on ti bo, dé ti bo, twa ti bo
Donne-moi un baiser, deux baisers, trois baisers
Ban-mwen tousa ou vlé
Donne m'en autant que tu voudras
Pou soulgé kyé mwen
Pour soulager mon cœur

Mwen ka travay
Je travaille
Si jou dan la simenn
Six jours par semaine
Twa jou pou mwen
Trois jours pour moi
Twa jou pou doudou-mwen
Trois jours pour ma doudou
Sanmdi rivé
Mais samedi est arrivé
Béké pa ka péyé-mwen
Le béké ne m'a pas payé
Tifi-la pwan pwagna
Elle a pris le poignard
Pou-li pwagnawdé
Pour me poignarder

Quand tu iras
Un jour au cimetier'
Tu trouveras
Trois pierres gravées à mon nom
Sur ces trois pierres,
Trois petites fleurs fanées
La plus fanée des trois
C'est mon cœur oublié par toi
Armand Siobud, *Ban-mwen on ti bo*

CORRIGÉS

ÉVALUATION MODULE 1 pages 46-47

DES CONVERSATIONS

Activité 1 p. 46
Proposition de corrigés
– Merci. Je suis désolée, je suis en retard.
– Il n'y a pas de quoi.
– Très bon.
– Tu veux manger quelque chose ?
– Qu'est-ce que tu veux boire ?

Activité 2 p. 46
– Bonjour, Maxime Amestoy. Je voudrais parler à monsieur Julien Gayot s'il vous plait.
– Ne quittez pas.
– Allô Maxime ? Comment vas-tu ?
– Très bien. Je vais travailler chez Peugeot.
– Super ! Félicitations !

DES FORMES

Activité 3 p. 46
1. les
2. t'
3. vous écoute.

Activité 4 p. 46
1. qui
2. qui
3. que

DES SONS ET DES LETTRES

Activité 5 p. 46
1. Les jambes
3. Le jeu
4. La gymnastique

Activité 6 p. 46
1. billet 2. Marseille, premier 3. fille

Activité 7 p. 46
1. J'appelle 2. Nous achetons 3. jette

DE L'ÉCOUTE

Activité 8 p. 46
1. Un auditeur qui appelle.
2. Pour dédier une chanson à sa copine.
3. La fête de sa copine/de Françoise.

DE LA LECTURE

Activité 9 p. 47
1. L'association Danse, Musique et Gastronomie.
2. À Lyon.
3. Aux habitants d'un quartier de Lyon.
4. Pour inviter les habitants à assister à des spectacles de danse et de musique et à déguster des plats.

5. Vivre ensemble à Lyon / Participez à la vie de votre quartier
6. Il faut téléphoner au 06 99 28 41 50.

DES TEXTES

Activité 10 p. 47
Proposition de corrigé

Malindi, le 18 février 2007

Chère Léa,

Tu vas bientôt avoir 18 ans !
Nous pensons à toi.
Bonne anniversaire, Léa !
Grosses bises
Pépé et mémé

ÉVALUATION MODULE 2 pages 84-85

DES CONVERSATIONS

Propositions de corrigés

Activité 1 p. 84
– D'accord.
– Pardon ! Le quoi ?
– Ah oui ! Et qu'est-ce qu'on mange au restaurant japonais ?
– Et c'est cher ?
– Avec plaisir !

Activité 2 p. 84
– Suzanne ? Tu peux m'aider s'il te plait ?
– Oui, qu'est-ce qu'il y a ?
– Je n'arrive pas à copier un fichier sur ma clé USB.
– Vérifie d'abord si elle est bien branchée ?
– C'est fait !
– Va sur *poste de travail* et clique sur l'icône USB. Ensuite, tu cliques droit et copie/colle ton fichier sur la clé.
– Ah oui, merci.

DES FORMES

Activité 3 p. 84
1. sors
2. partez
3. sortirais
4. es sorti

Activité 4 p. 84
1. quelques
2. quelques
3. plusieurs
4. plusieurs

Activité 5 p. 84
1. ces
2. cette
3. ce
4. cette

DES SONS ET DES LETTRES

Activité 6 p. 84
[b]
3. les bruits
5. le branchement
[v]
1. Les vacances
2. les vœux
4. la ville
6. les voisins

Activité 7 p. 84
1. cherche
2. chambre
3. chose

DE L'ÉCOUTE

Activité 8 p. 85
1. Un enregistrement d'une société.
2. a. Vrai
   b. Faux
   c. Vrai
   d. Faux
3. Pour avoir plus de renseignements.

DE LA LECTURE

Activité 9 p. 85
1. Aux personnes qui cherchent du travail.
2. La demande de candidature.
3. Trois phrases.
4. RTF.
5. Pour éviter de mauvaises surprises.
6. Il ne faut pas oublier de mettre dans "Objet" les références de l'annonce et votre nom.

DES TEXTES

Activité 10 p. 85
Proposition de règlement

Aux pensionnaires du bâtiment 4 de la Cité universitaire

1. On doit bien fermer la porte d'entrée de la résidence.
2. Il faut éviter de faire du bruit après 22 h 00 (article R 623 du Code pénal)
3. Il ne faut pas laisser de vélos dans l'entrée de l'immeuble.
4. On doit veiller à la propreté des espaces communs
5. Il ne faut jamais secouer les tapis par les fenêtres avant 10 h 00.
6. Il est interdit de suspendre du linge aux fenêtres. Merci d'arroser les plantes avec modération.
Merci à tous et à toutes de votre coopération.

DES CONVERSATIONS

Propositions de corrigés

Activité 1 p. 122
– Bonjour, bienvenue. Je me présente, Paul Serre, enchanté.
– Bonjour, je m'appelle Naïma Kafiz.
– Nous nous sommes déjà rencontrés quelque part ?
– Oui, oui, c'était à la Comédie française. Vous étiez assis à côté de moi.
– Vous savez, je suis très content de travailler avec vous. Vous êtes brillante.
– Merci, c'est gentil.

Activité 2 p. 122
– Ca n'a pas l'air d'aller Marc. Qu'est-ce qu'il t'arrive ?
– Ben écoute, c'est une catastrophe, je viens de perdre mon emploi.
– Ah mon pauvre ! Je comprends, c'est difficile. Je suis là ! Courage.

DES FORMES

Activité 3 p. 122
1. Elle est plus brillante que son collègue.
2. Nous sommes moins préoccupés qu'hier.
3. Ils sont aussi insupportables que d'habitude.

Activité 4 p. 122
1. J'ai quelque chose à te dire.
2. Tu n'as rien vu là.
3. Tu n'as rien acheté au marché.

Activité 5 p. 122
1. mes voeux
2. nouveaux amis
3. les bureaux

Activité 6 p. 122
1. se soignent
2. appelle
3. te renseignes

DES SONS ET DES LETTRES

Activité 7 p. 122
[g]
3. le guide
4. l'angoisse
5. le groupe

[k]
1. la campagne
2. le quai
6. la question

Activité 8 p. 122
1. longue 2. cœur 3. quand

DE L'ÉCOUTE

Activité 9 p. 122
1. la santé
2. les maladies liées à l'obésité

3. 1 750 personnes
4. personnalisé
5. le régime méditerranéen
6. poisson, légumes frais, huile d'olive

DE LA LECTURE

Activité 10 p. 123
1. le 23 octobre et le 15 novembre
2. du 10 au 15 septembre
3. Dites à l'homme/la femme de votre vie que vous l'aimez.
4. votre quotidien
5. oui
6. de s'exprimer : écrire, faire de la peinture, de la danse...

DES TEXTES

Activité 11 p. 123
Proposition de corrigé

Chère Sabine,
C'est vrai, ce n'est pas facile pour toi. Mais il faut attendre un peu. Tu dois t'habituer à ta nouvelle ville, à tes nouveaux collègues. Ça va aller. Tu as beaucoup de qualités.
Ici, il n'y a rien de nouveau. Le collègue qui t'as remplacé est plutôt sympa.
Tiens-moi au courant.
Je t'embrasse
Emmanuelle

ÉVALUATION MODULE 4 pages 160-161

DES CONVERSATIONS

Activité 1 p. 160
Proposition de corrigé
– Tu sais qui j'ai croisé l'autre jour ?
– Non. Qui ?
– Tu sais, notre professeur d'histoire-géo en 3ème... machin... lou... quelque chose ?
– Ah oui, monsieur Louet ! Il était super sympa !

Activité 2 p. 160
Proposition de corrigé
– Tu sais, l'autre jour, j'ai reçu une lettre d'invitation à une journée de présentation de nouveaux médicaments.
– Ah oui ! Et pourquoi cette invitation ?
– J'étais curieuse de savoir. Alors, j'ai téléphoné au numéro indiqué dans le lettre et..
– Et quoi ?
– On a répondu qu'il y a un docteur qui s'appelle comme moi.
– Ah bon !
– C'est drôle, non ?

DES FORMES

Activité 3 p. 160
1. C'était une fille curieuse.

2. Sa note était moyenne.
3. Elles étaient très actives.

Activité 4 p. 160
1. Dimanche dernier, il pleuvait. J'étais à la maison quand j'ai reçu un coup de fil. C'était Hillary, elle téléphonait de Boston. Elle m'a dit de te saluer.

Activité 5 p. 160
1. Le suspect a été interrogé.
2. Les parents sont convoqués par le proviseur tous les mois.
3. Des menaces sont reçues par les journalistes.

DES SONS ET DES LETTRES

Activité 6 p. 160
[ɑ̃]
2. grand
6. intéressant
[ɔ̃]
3. bon,
5. blond
[ɛ̃]
1. humain
4. mince

Activité 7 p. 160
Heure, chanteuse, elle, Grèce, cœur, faveur

DE L'ÉCOUTE

Activité 8 p. 160
1. le 8 janvier
2. du froid, de la pluie et de la neige
3. Des côtes de la Manche à l'Atlantique
4. le soir/en soirée. Dans le Centre, dans les régions du sud et dans les Alpes
5. Jusqu'à -5.
6. La plus grande prudence/d'être prudents

DE LA LECTURE

Activité 9 p. 161
1. Où   Dans différentes villes de France
   Quand   Mardi 12 juin
   Qui   Les infirmiers
   Pourquoi Pour demander l'augmentation de leur salaire
2. on manifeste dans la rue
3. plutôt positive

DES TEXTES

Activité 10 p. 161
BOUDON Louis, né à Biarritz (1971), coureur cycliste français. Il a été deux fois vainqueur de la Vuelta (tour d'Espagne) et une fois champion du monde junior. En 1998, il quitte le sport pour devenir acteur. Il a interprété plusieurs films de succès comme *La clé perdue, Une voix dans la nuit, Les sœurs du marin, La vie de Cristobal de las Casas*.

DES CONVERSATIONS

Propositions de corrigés

Activité 1 p. 198

– Au fait, tu sais que Saïda veut partir au Canada pour faire ses études là-bas ?
– Ah bon, tu es sûr ? Je croyais qu'elle voulait aller à New York ?
– New York ? Mais non pas du tout, je suis certain qu'elle part au Canada.

Activité 2 p. 198

– J'ai une proposition pour aller travailler à Saint-Pierre-et-Miquelon.
– C'est super, non ? Tu n'as pas l'air certain !
– Ben, tu sais, c'est très loin, je ne suis pas sûr de vouloir aller sur une île.
– C'est vrai qu'il faut réfléchir avant !

DES FORMES

Activité 3 p. 198

1. Je passerai
2. On verra
3. Il finira
4. Ils auront

Activité 4 p. 198

1. Il leur a envoyé un CV.
2. Je lui ai demandé conseil.
3. Nous lui avons payé le restaurant.
4. On lui a répondu.

Activité 5 p. 198

1. Parlez-nous clairement.
2. Écris-moi demain.
3. Payez-moi par chèque.
4. Dites lui de revenir à 3 heures.

DES SONS ET DES LETTRES

Activité 6 p. 198

1. Les annonces paraissent le jeudi.
2. Ils ont rédigé leur CV.
3. Les réponses ont été envoyées.
4. Les amis sont toujours là.
5. Quand on rentre, on discutera de tout ça.
6. Cet article est bien écrit.

Activité 7 p 198

1. Le premier octobre, c'est mon anniversaire.
2. 2 Il est allé en Islande.
3. Chez elles, tout est bien rangé.

DE L'ÉCOUTE

Activité 8 p. 198

1. À une conversation.
2. Dans un restaurant.
3. Un client à un serveur/garçon.

4. L'addition.
5. C'est ma-thé-ma-ti-que-ment impossible d'additionner des choses d'espèce différente !
6. Non.

DE LA LECTURE

Activité 9 p. 198

1. à communiquer
2. Non
3. Les hommes échangent de plus en plus vite des informations de plus en plus nombreuses.
4. L'incommunication avec les autres.
5. Cohabiter et de tolérer les autres.
6. – incommunication
– cohabiter

DES TEXTES

Activité 10 p. 198

Propositions de corrigés
Cher Directeur,
Je suis une lectrice fidèle de votre quotidien et je remarque que vous donnez de plus en plus d'importance (et de place) aux faits divers. Pourquoi consacrer tout cet espace à des meurtres, des vols et des accidents ? Ce sont des événements qui satisfont une curiosité plutôt négative des lecteurs. Pourquoi négliger des sujets politiques et économiques importants ? Ces sujets aident à mieux comprendre le monde. Je ne suis pas d'accord avec ces choix et je tenais à vous en faire part.
Salutations distinguées.
Céline Guez
Montpellier

CONJUGAISONS

Indicatif	Présent	Impératif	Passé composé	Imparfait	Futur	Conditionnel présent
ÊTRE	Je suis Tu es Il/Elle/On est Nous sommes Vous êtes Ils/Elles sont	Sois Soyons Soyez	J'ai été Tu as été Il/Elle/On a été Nous avons été Vous avez été Ils/Elles ont été	J'étais Tu étais Il/Elle/On était Nous étions Vous étiez Ils/Elles étaient	Je serai Tu seras Il/Elle/On sera Nous serons Vous serez Ils/Elles seront	Je serais Tu serais Il/Elle/On serait Nous serions Vous seriez Ils/Elles seraient
AVOIR	J'ai Tu as Il/Elle/On a Nous avons Vous avez Ils/Elles ont	Aie Ayons Ayez	J'ai eu Tu as eu Il/Elle/On a eu Nous avons eu Vous avez eu Ils/Elles ont eu	J'avais Tu avais Il/Elle/On avait Nous avions Vous aviez Ils/Elles avaient	J'aurai Tu auras Il/Elle/On aura Nous aurons Vous aurez Ils/Elles auront	J'aurais Tu aurais Il/Elle/On aurait Nous aurions Vous auriez Ils/Elles auraient
VERBES EN -ER APPELER	J'appelle Tu appelles Il/Elle/On appelle Nous appelons Vous appelez Ils/Elles appellent	Appelle Appelons Appelez	J'ai appelé Tu as appelé Il/Elle/On a appelé Nous avons appelé Vous avez appelé Ils/Elles ont appelé	J'appelais Tu appelais Il/Elle/On appelait Nous appelions Vous appeliez Ils/Elles appelaient	J'appellerai Tu appelleras Il/Elle/On appellera Nous appellerons Vous appellerez Ils/Elles appelleront	J'appellerais Tu appellerais Il/Elle/On appellerait Nous appellerions Vous appelleriez Ils/Elles appelleraient
VERBES EN -ETER ACHETER	J'achète Tu achètes Il/Elle/On achète Nous achetons Vous achetez Ils/Elles achètent	Achète Achetons Achetez	J'ai acheté Tu as acheté Il/Elle/On a acheté Nous avons acheté Vous avez acheté Ils/Elles ont acheté	J'achetais Tu achetais Il/Elle/On achetait Nous achetions Vous achetiez Ils/Elles achetaient	J'achèterai Tu achèteras Il/Elle/On achètera Nous achèterons Vous achèterez Ils/Elles achèteront	J'achèterais Tu achèterais Il/Elle/On achèterait Nous achèterions Vous achèteriez Ils/Elles achèteraient
VERBES EN -YER ENVOYER	J'envoie Tu envoies Il/Elle/On envoie Nous envoyons Vous envoyez Ils/Elles envoient	Envoie Envoyons Envoyez	J'ai envoyé Tu as envoyé Il/Elle/On a envoyé Nous avons envoyé Vous avez envoyé Ils/Elles ont envoyé	J'envoyais Tu envoyais Il/Elle/On envoyait Nous envoyions Vous envoyiez Ils/Elles envoyaient	J'enverrai Tu enverras Il/Elle/On enverra Nous enverrons Vous enverrez Ils/Elles enverront	J'enverrais Tu enverrais Il/Elle/On enverrait Nous enverrions Vous enverriez Ils/Elles enverraient
VERBES PRONOMINAUX EN -ER SE SOIGNER	Je me soigne Tu te soignes Il/Elle/On se soigne Nous nous soignons Vous vous soignez Ils/Elles se soignent		Je me suis soigné(e) Tu t'es soigné(e) Il/Elle/On s'est soigné(e) Nous nous sommes soigné(e)s Vous vous êtes soigné(e)(s) Ils/Elles se sont soigné(e)s	Je me soignais Tu te soignais Il/Elle/On se soignait Nous nous soignions Vous vous soigniez Ils/Elles se soignaient	Je me soignerai Tu te soigneras Il/Elle/On se soignera Nous nous soignerons Vous vous soignerez Ils/Elles/On se soigneront	Je me soignerais Tu te soignerais Il/Elle/On se soignerait Nous nous soignerions Vous vous soigneriez Ils/Elles se soigneraient
ALLER	Je vais Tu vas Il/Elle/On va Nous allons Vous allez Ils/Elles vont	Va Allons Allez	Je suis allé(e) Tu es allé(e) Il/Elle/On est allé(e) Nous sommes allé(e)s Vous êtes allé(e)(s) Ils/Elles sont allé(e)s	J'allais Tu allais Il/Elle/On allait Nous allions Vous alliez Ils/Elles allaient	J'irai Tu iras Il/Elle/On ira Nous irons Vous irez Ils/Elles iront	J'irais Tu irais Il/Elle/On irait Nous irions Vous iriez Ils/Elles iraient
VOIR	Je vois Tu vois Il/Elle/On voit Nous voyons Vous voyez Ils/Elles voient	Vois Voyons Voyez	J'ai vu Tu as vu Il/Elle/On a vu Nous avons vu Vous avez vu Ils/Elles ont vu	Je voyais Tu voyais Il/Elle/On voyait Nous voyions Vous voyiez Ils/Elles voyaient	Je verrais Tu verrais Il/Elle/On verrait Nous verrions Vous verrirez Ils/Elles verraient	Je verrais Tu verrais Il/Elle/On verrait Nous verrions Vous verriez Ils/Elles verraient
VOULOIR	Je veux Tu veux Il/Elle/On veut Nous voulons Vous voulez Ils/Elles veulent	 Veuillez	Je voulais Tu voulais Il/Elle/On voulait Nous voulions Vous vouliez Ils/Elles voulaient	J'ai voulu Tu as voulu Il/Elle/On a voulu Nous avons voulu Vous avez voulu Ils/Elles ont voulu	Je voudrai Tu voudras Il/Elle/On voudra Nous voudrons Vous voudrez Ils/Elles voudront	Je voudrais Tu voudrais Il/Elle/On voudrait Nous voudrions Vous voudriez Ils/Elles voudraient
POUVOIR	Je peux Tu peux Il/Elle/On peut Nous pouvons Vous pouvez Ils/Elles peuvent		J'ai pu Tu as pu Il/Elle/On a pu Nous avons pu Vous avez pu Ils/Elles ont pu	Je pouvais Tu pouvais Il/Elle/On pouvait Nous pouvions Vous pouviez Ils/Elles pouvaient	Je pourrai Tu pourras Il/Elle/On pourra Nous pourrons Vous pourrez Ils/Elles pourront	Je pourrais Tu pourrais Il/Elle/On pourrait Nous pourrions Vous pourriez Ils/Elles pourraient
FALLOIR	il faut		il a fallu	il fallait	Il faudra	il faudrait
PLEUVOIR	il pleut		il a plu	il pleuvait	Il pleuvra	il pleuvrait
ÉCRIRE	J'écris Tu écris Il/Elle/On écrit Nous écrivons Vous écrivez Ils/Elles écrivent	Écris Écrivons Écrivez	J'ai écrit Tu as écrit Il/Elle/On a écrit Nous avons écrit Vous avez écrit Ils/Elles ont écrit	J'écrivais Tu écrivais Il/Elle/On écrivait Nous écrivions Vous écriviez Ils/Elles écrivaient	J'écrirai Tu écriras Il/Elle/On écrira Nous écrirons Vous écrirez Ils/Elles écriront	J'écrirais Tu écrirais Il/Elle/On écrirait Nous écririons Vous écririez Ils/Elles écriraient

PRÉCIS DE GRAMMAIRE

LES ARTICLES

Articles partitifs

Singulier		Pluriel	
Masculin	**Féminin**	**Masculin**	**Féminin**
du (de l') Tu fais **du** bruit. Arrête !	**de la** Si vous voyez **de la** fumée, appelez les pompiers.	**des** Il y a **des** arbres et **des** fleurs, ici !	

On utilise **de l'** (et non *du*) devant les noms masculins qui commencent par une voyelle : Tu as **de l'**argent ?

Dans les phrases négatives, devant un nom complément, on utilise **de (d')** et non *du, de la, des* :
Je n'ai plus **de** courant chez moi.
Il n'y a pas **de** place dans le parking.
Ils n'ont plus **d'**amis!
Elle ne donne plus **de** nouvelles.

LES ADJECTIFS

Adjectifs possessifs

Singulier		Pluriel	
Masculin	**Féminin**	**Masculin**	**Féminin**
Mon copain	**Ma** copine, **mon** amie	**Mes** copains / **mes** copines	
Ton rendez-vous	**Ta** retraite, **ton** absence	**Tes** rendez-vous / **tes** cousines	
Son engagement	**Sa** réussite, **son** affection	**Ses** engagements / **ses** vestes	
Notre voisin	**Notre** chance	**Nos** voisins / **nos** chances	
Votre message	**Votre** lettre	**Vos** messages / **vos** lettres	
Leur passeport	**Leur** directrice	**Leurs** papiers / **leurs** sœurs	

Adjectifs démonstratifs

Singulier		Pluriel	
Masculin	**Féminin**	**Masculin**	**Féminin**
ce jour, **cet** article	**cette** dame	**ces** jours / **ces** articles / **ces** dames	

LES PRONOMS

Pronoms personnels

Séparés du verbe : devant un pronom sujet, je, tu..., ou après une préposition

Moi	Toi	Lui/Elle
Moi, je suis Zoé.	Tu t'appelles Marie, **toi** aussi ?	**Lui**, il est comme ça. Pour **elle**, tout est simple !
Nous Bienvenue chez **nous** !	**Vous** Qu'est-ce que je peux faire pour **vous** ?	**Eux/Elles** Ils ne sortent jamais le soir, **eux**. Je discute beaucoup avec **elles**.

Objet direct

Me (m')	**Te** (t')	**Le** (l'), **la**
Il **m'**appelle souvent.	Je **te** vois sur la photo, là.	On **le** rencontre à l'arrêt du bus. Je **la** vois demain.
Nous	**Vous**	**Les**
On **nous** regarde.	Elle **vous** a salué ?	Les enfants ? Nous **les** attendons. Tes copines, tu **les** invites toutes ?

Pronominal

Me (m')	**Te** (t')	**Se** (s')
Je **m'**excuse pour le retard.	Tu **te** trompes !	L'asthme, ça **se** soigne.
Nous	**Vous**	**Se** (s')
Nous **nous** appelons tous les jours.	Vous **vous** réveillez à quelle heure ?	Ils **se** renseignent.

Objet indirect

Me (m')	**Te** (t')	**Lui**
Il **m'**écrit toujours.	On **te** parle, non ?	Nous **lui** expliquons la règle.
Nous	**Vous**	**Leur**
Tu **nous** demandes l'impossible !	Elle **vous** a téléphoné ?	Je **leur** réponds par mél.

Place

Je cherche **mon portable**. Je **le** cherche.	J'ai cherché **Floriane**. Je **l'**ai cherchée.
Je ne trouve pas **mon sac**. Je ne **le** trouve pas.	Je n'ai pas trouvé **mon sac**. Je ne **l'**ai pas trouvé.

Avec l'impératif

Ferme **la fenêtre**. Ferme-**la**.	Ne ferme pas **la fenêtre**. Ne **la** ferme pas.

Pronoms démonstratifs

Singulier	
Masculin	**Féminin**
Celui-ci/là Ton vélo, c'est **celui-ci** ?	**Celle-ci/là** Ta place, c'est **celle-là**, là-bas ?

cela/ça **Cela** s'explique parfaitement. **Ça** me soûle !

Pronoms relatifs

Qui
C'est le bus **qui** va à Luxembourg. L'appartement **qui** donne sur le jardin est clair.
C'est elle **qui** m'invite. Cette jeune femme **qui** téléphone est la secrétaire.
Ce sont ses collègues **qui** le remplacent. Ces jeunes gens, **qui** habitent au 3e étage, déménagent.

Que
Le Sud, c'est la région **que** je préfère. Le roman **que** j'ai acheté à la Fnac est intéressant.
C'est une histoire **que** je n'arrive pas à comprendre. Tu sais, la sœur de Luc, **qu'**il m'a présentée hier, est blonde.
Ce sont des articles **que** l'on vend à prix réduit. Les voitures **que** l'on expose au salon TopFutur sont des prototypes.

Pronoms indéfinis

Rien indique une **quantité nulle**. Il est **sujet** ou **complément** de phrases négatives : **Rien** ne l'intéresse. Tu ne comprends **rien** !	**Quelque chose** indique **un seul objet** de manière non définie. Il est **sujet** ou **complément** de phrases affirmatives : **Quelque chose** te préoccupe ? Dis **quelque chose** !

LA NÉGATION

Ne... pas	Je **ne** l'ai **pas** vu.
Ne... plus	Il **n'**a **plus** d'espoir.
Ne... jamais	On **ne** voyage **jamais**.
Ne... rien	**Rien ne** l'arrête. Je **ne** regrette **rien**.

LA COMPARAISON

Avec les adjectifs

Plus... que	Il est **plus** intelligent **que** toi.
Moins... que	Elle est **moins** charmante **que** sa copine.
Aussi... que	Tu es **aussi** brillante **que** lui.

Le superlatif relatif

Le/la/les plus... de	Cet appartement est **le** plus clair **de** l'immeuble.
Le/la/les moins... de	Ils sont **les** moins dynamiques **de** l'équipe.

LE GENRE

Adjectifs qualificatifs masculins et féminins

Singulier	Pluriel
Un problème **grave**	Une décision **grave**
Un garçon **blond**	Une femme **blonde**
Un code **secret**	Une porte **secrète**
Un centre **sportif**	Une rencontre **sportive**
Un **bon** repas	Une **bonne** décision
Un **gros** camion	Une **grosse** somme
Un garçon **amoureux**	Une jeune fille **amoureuse**
Un touriste **japonais**	Une estampe **japonaise**
Un bijou **mexicain**	Une ville **mexicaine**

Quelques adjectifs ont deux formes au masculin singulier : **Beau/bel, belle** un **beau** discours, un **bel** enfant **Nouveau/nouvel, nouvelle** un **nouveau** projet, un **nouvel** immeuble **Vieux/vieil, vieille** un **vieux** copain, un **vieil** ami

LE NOMBRE

Masculin	Féminin
-eau le tabl**eau** nouv**eau**	**-eaux** les tabl**eaux** nouv**eaux**
-(o)eu le chev**eu** le v**œu**	**-(o)eux** les chev**eux** les v**œux**
-al l'hôpit**al** médic**al**	**-aux** les hôpit**aux** médic**aux**

L'INTERROGATION

Vous venez en voiture ?
Est-ce que vous venez en voiture ?
Venez-vous en voiture ?
As-tu pris ton permis ?

Vous partez **quand** ?
Quand est-ce que vous partez ?
Quand partez-vous ?

Tu vas **où** ?
Où est-ce que tu vas ?
Où vas-tu ?

Combien coûte ce pull ?
Combien est-ce que ce pull coûte ?
Combien ce pull coûte-t-il ?

Vous allez **comment** ?
Comment est-ce que vous allez ?
Comment allez-vous ?

LA LOCALISATION DANS L'ESPACE

Pour indiquer le passage, le mouvement

On passe **par** le tunnel du Mont-Blanc.
Nous allons en Bretagne **par** la route nationale.

Pour indiquer une position relative

Au sommet de la montagne
Le long des côtes
Au milieu des champs

LA CONDITION, L'HYPOTHÈSE

Exprimer une condition, une hypothèse

Si	Sinon/Ou
Si tu pars à Deauville, je viens aussi. **Si** le train a du retard, on va perdre la correspondance.	Tu dois te dépêcher, **sinon** tu vas arriver en retard. Partez maintenant **ou** vous ratez votre avion.

LA FORME PASSIVE

Les gagnants du concours **sont invités** à participer à la Dictée des Amériques. (forme active : On invite les gagnants à participer à...)	Un pilote d'ULM **a été interrogé par** la police. (forme active : La police a interrogé un pilote....)	Deux mille bouteilles **ont été volées** par des inconnus. (forme active : Des inconnus ont volé deux mille...)

LEXIQUE PLURILINGUE

	ANGLAIS	ALLEMAND	ESPAGNOL	ITALIEN	PORTUGAIS
A					
À cause de	because of	wegen	debido a	A causa di	por causa de
à plus	see you later	bis später	hasta pronto	A più	até breve
abattement, n. m.	tax allowance	Mutlosigkeit	abatimiento	Abbattimento/riduzione	dedução
aberrant	abnormal	widersinnig	aberrante	aberrante	aberrante
abricot, n. m.	apricot	Aprikose	albaricoque	albicocca	damasco
absolument	absolutely	absolut	totalmente	assolutamente	absolutamente
accident, n. m.	accident	Unfall	accidente	incidente	acidente
actuellement	currently	im Augenblick	actualmente	attualmente	actualmente
affection, n. f.	affection	Zuneigung	afección	affetto	afecção
âgée	elderly	alt	mayor	anziana	idoso
agréable	pleasant	angenehm	agradable	piacevole	agradável
agresser	to aggress	angreifen	agredir	aggredire	agredir
allergie, n. f.	allergy	Allergie	alergia	allergia	alergia
anecdote, n. f.	anecdote	Anekdote	anécdota	aneddoto	anedota
annonce, n. f.	announcement	Annonce	anuncio	annuncio	anúncio
apercevoir	to see	bemerken	percibir	scorgere	distinguir
apéritif, n. m.	aperitif	Aperitif	aperitivo	aperitivo	aperitivo
appareil, n. m.	camera	Apparat	cámara	telecamera	aparelho
apprécier	to enjoy	schätzen	apreciar	apprezzare	apreciar
argument, n.m.	argument	Argument	argumento	argomento	argumento
artiste, n. m.	artist	Künstler	artistas	artisti	artistas
assurance, n. f.	insurance	Versicherung	seguro	sicurezza	seguro
autonomie, n. f.	autonomy	Autonomie	autonomía	autonomia	autonomia
avancement, n. m.	promotion	Beförderung	ascenso	avanzamento	avanço
B					
bagage, n. m.	luggage	Gepäck	equipaje	bagaglio	bagagem
barbe, n. f.	beard	Bart	barba	barba	barba
barbu	bearded	bärtig	barbudo	barbuto	barbudo
bénéfice, n. m.	profit	Gewinn	beneficio	beneficio	benefício
biographie, n. f.	biography	Biographie	biografía	biografia	biografia
bisou, n. m.	kiss	Bussis	besos	baci	beijos
bolide, n. m.	fast car	Rennwagen	bólido	bolide	bólido
bouche, n. f.	mouth	Mund	boca	bocca	boca
bourse, n. f.	purse	Börse	bolsa	borsa	bolsa
brève, n. f.	news in brief	Kurze Geschichte	noticia breve	breve	breve
brouillard, n. m.	fog	Nebel	niebla	nebbia	nevoeiro
bulletin météo, n. m.	weather report	Wettervorhersage	parte meteorológico	bollettino meteo	boletim meteorológico
bus, n. m.	bus	Bus	autobús	autobus	autocarro
C					
caissière, n. f.	check out assistant	Kassiererin	cajera	cassiera	empregada de caixa
camionnette, n. f.	small lorry	Lieferwagen	camioneta	furgone	camioneta
campagne, n. f.	campaign	Kampagne	campo	campagna	campanha
candidature, n. f.	candidature	Kandidatur	candidatura	candidatura	candidatura
caravane, n. f.	caravan	Caravan	caravana	roulotte	caravana
carrefour, n. m.	crossroads	Kreuzung	cruce	incrocio	cruzamento
carte d'immatri-culation, n. f.	registration card	Fahrzeugschein	tarjeta de matriculación	documento d'immatricolazione	placa de matrícula
carte de vœux, n. f.	greetings card	Glückwunschkarte	postal de felicidades	biglietto di auguri	cartão de votos
carte nationale d'identité, n. f.	national identity card	Personalausweis	documento nacional de identidad	carta d'identità	bilhete de identidade
cascade, n. f.	waterfall	Wasserfall	cascada	cascata	cascata
céder	to give up	überlassen	dejar	cedere	ceder
célibataire, n. f.	single	Junggeselle	soltero	celibe	solteiro
centrale, n. f.	power station	Kraftwerk	central	centrale	central
certain	certain	sicher	seguro	certo	certo
certainement	certainly	sicherlich	por supuesto	certamente	certamente
cerveau, n. m.	brain	Gehirn	cerebro	cervello	cérebro
chanson, n. f.	song	Lied	canción	canzone	canção
chauve	bald	glatzköpfig	calvo	calvo	careca
chercher	to look for	suchen	buscar	cercare	procurar
chômage, n. f.	unemployment	Arbeitslosigkeit	paro	disoccupazione	fundo de desemprego
cigarettes, n. f.	cigarettes	Zigaretten	cigarrillos	sigarette	cigarros
cinématographe, n. m.	cinematograph	Kinematograph	cinematógrafo	cinematografo	cinematógrafo
circulation, n. f.	circulation	Kreislauf	circulación	circolazione	circulação
citoyen, n. m.	citizen	Bürger	ciudadano	cittadino	cidadão
classes prépara-toires, n. f.	prep classes	Vorbereitungsklassen	clases preparatorias	corsi propedeutici	classes preparatórias
classes sociales, n. f.	social classes	soziale Klassen	clases sociales	classi sociali	classes sociais
clavier téléphonique, n. m.	telephone keyboard	Telefon-Wahltasten	teclado telefónico	tastiera del telefono	teclado telefónico
client, n. m.	customer	Kunde	cliente	cliente	cliente
coéquipier, n. m.	fellow team member	Beifahrer	compañero de equipo	compagno di squadra	companheiro de equipa

collectivité, n. f.	local authority	Gemeinschaft	colectividad	collettività/associazione	colectividade
commémoration, n. f.	commemoration	Erinnerungsfeier	conmemoración	commemorazione	comemoração
comment	what	Wie	cómo	come	como
complètement	completely	Ergänzung	totalmente	completamente	completamente
compliments, n. m.	compliments	Komplimente	cumplidos	complimenti	louvores
comportement, n. m.	behaviour	Verhalten	comportamiento	comportamento	comportamento
comptable, n. m.	accountant	Buchhalter	contable	contabile	contável
concitoyen, n. m.	fellow citizen	Mitbürger	conciudadano	concittadino	concidadão
concours, n. m.	competition	Wettbewerb	concurso	concorso	concurso
conservateur	conservative	konservativ	conservador	conservatore	conservador
construire	to build	bauen	construir	costruire	construir
contrat, n. m.	contract	Vertrag	contrato	contratto	contrato
conviviale	convivial	gemütlich	distendido	conviviale	amigável
cordial	cordial	herzlich	cordial	cordiale	cordial
couloir, n. m.	lane	Busspur	vía	corridoio	corredor
couple, n. m.	couple	Paar	pareja	coppia	casal
cour, n. f.	court	Hof	patio	corte	curso
coureur, n. m.	runner	Fahrer	corredor	corridore	corredor
courrier, n. m.	letter	Postsendung	correo	lettera	correio
craindre	to fear	fürchten	temer	temere	temer
crédit, n. m.	credit	Kredit	crédito	credito	crédito
croissance, n. f.	growth	Wachstum	crecimiento	crescita	crescimento
curriculum vitae	curriculum vitae	Lebenslauf	currículum vitae	curriculum vitae	curriculum vitae
cycliste, n. m.	cyclist	Radfahrer	ciclista	ciclista	ciclista

D

débouché, n. m.	outcome	Karrierechance	salida	sbocco	saída
décevoir	to disappoint	enttäuschen	decepcionar	deludere	decepcionar
décrire	to describe	beschreiben	describir	descrivere	descrever
décroître	to decrease	sinken	decrecer	diminuire	decrescer
dédier	to dedicate	widmen	dedicar	dedicare	dedicar
délocalisation, n. f.	relocation	Delokalisierung	deslocalización	dislocazione	deslocamento
délocaliser	to relocate	delokalisieren	deslocalizar	dislocare	deslocalizar
dépendance, n. f.	dependence	Abhängigkeit	dependencia	dipendenza	dependência
dépense, n. f.	expenditure	Ausgabe	gasto	spesa	despesa
déprime, n. f.	depression	Niedergeschlagenheit	depresión	depressione	depressão
déranger	to disturb	stören	molestar	disturbare	desarrumar
descendre	to go down	aussteigen	bajar	scendere	descer
désirer	to desire	wünschen	desear	desiderare	desejar
dessus	above	unter	encima	sopra	por cima
directeur, n. m.	director	Direktor	director	direttore	director
directrice du service après-vente, n. f.	after-sales service director	Leiterin des Kundendienstes	directora de servicio posventa	direttrice del servizio post-vendita	directora do serviço pós venda
diviser	to divide	teilen	dividir	dividere	dividir
droits d'inscription, n. m.	registration fees	Einschreibegebühren	cuotas de entrada	diritti di registrazione	direitos de inscrição
drôle de	funny	komisch	menudo	strano	engraçado

E

éclaircie, n. f.	enlightened	Aufhellen des Wetters	claro	schiarita	aberta
économies, n. f.	savings	Einsparungen	ahorros	economie	economias
économique	economic	wirtschaftlich	económico	economico	económico
emménager	to move in	einziehen	mudarse	traslocare	mudar de casa
emploi, n. m.	job	Beschäftigung	empleo	lavoro	emprego
employé, n. m.	employee	Angestellter	empleado	impiegato	empregado
en ballon	in a ball-shape	in der Flasche	en globo	nel pallone	em balão
en retard	late	zu spät	tarde	in ritardo	atrasado
en service	in service	im Dienst	en servicio	in servizio	em serviço
en société	in society	in Gesellschaft	en sociedad	in società	em sociedade
enquête, n. f.	survey	Untersuchung	encuesta	inchiesta	inquérito
entendre	to hear	hören	oír	sentire	ouvir
espérance de vie, n. f.	life expectancy	Lebenserwartung	esperanza de vida	aspettativa di vita	esperança de vida
essentiellement	essentially	hauptsächlich	esencialmente	essenzialmente	essencialmente
étage, n. m.	floor	Etage	piso	piano	andar
étagères, n. f.	bookshelves	Regale	estanterías	mensole	prateleiras
étape, n. f.	stage	Etappe	etapa	tappa	etapa
malade	ill	krank	enfermo	malato	doente
évasion, n. f.	escape	Ausbruch	evasión	evasione	evasão
événement, n. m.	event	Ereignis	evento	avvenimento	acontecimento
évidence, n. f.	evidence	Offensichtlichkeit	evidencia	evidenza	evidência
exceptionnel	exceptional	außergewöhnlich	excepcional	eccezionale	excepcional
extraordinaire	extraordinary	außergewöhnlich	extraordinario	straordinario	extraordinário

F

félicitations, n. f.	congratulations	Glückwünsche	felicidades	congratulazioni	parabéns
filière, n. f.	industry	Studienfach	carrera	indirizzo	filial
finalement	finally	schließlich	finalmente	infine	finalmente

financer	to finance	finanzieren	financiar	finanziare	financeiro
fixer	to fix	fixieren	fijar	fissare	fixar
fleur, n. f.	flower	Blume	flor	fiore	flor
fumer	to smoke	rauchen	fumar	fumare	fumar

G

garantie, n. f.	guarantee	Garantie	garantía	garanzia	garantia
gardes du corps, n. m.	body guards	Leibwächter	guardaespaldas	guardie del corpo	guardas costas
gêne, n. f.	embarrassment	Behinderung	molestia	imbarazzo	desconforto
grandes écoles, n. m.	grandes écoles	Fachhochschulen	grandes escuelas	università	grandes escolas

H

| haine, n. f. | hatred | Hass | odio | odio | ódio |
| héros, n. m. | hero | Held | héroe | eroe | heróis |

I

immédiatement	immediately	sofort	inmediatamente	immediatamente	imediatamente
impossibilité, n. f.	impossibility	Unmöglichkeit	imposibilidad	impossibilità	impossibilidade
impossible	impossible	unmöglich	imposible	impossibile	impossível
imprévue	unplanned	unvorhergesehen	imprevista	imprevisto	imprevisto
improbable	improbable	unwahrscheinlich	improbable	improbabile	improvável
incertitude, n. f.	uncertainty	Unsicherheit	incertidumbre	incertezza	incerteza
incident, n. m.	incident	Zwischenfall	incidente	incidente	incidente
incivilité, n. f.	impoliteness	Inzivilität	descortesía	inciviltà	incivilidade
indifférence, n. f.	indifference	Gleichgültigkeit	indiferencia	indifferenza	indiferença
inévitable	inevitable	unvermeidbar	inevitable	inevitabile	inevitável
infirmier, n. f.	nurse	Krankenpfleger	enfermero	infermiere	enfermeiro
insulte, n. f.	insult	Beleidigung	insulto	insulto	insulto
insulter	to insult	beleidigen	insultar	insultare	insultar
interagir	to interact	interagieren	interactuar	interagire	interagir
intérêt	interest	Interesse	interés	interesse	interesse
international	international	international	internacional	internazionale	internacional
intolérable	intolerable	unerträglich	intolerable	intollerabile	intolerável

J

| jamais | never | nie | nunca | mai | jamais |
| jus, n. m. | juice | Saft | zumo | succo | sumo |

L

latéral	lateral	seitlich	lateral	laterale	lateral
lettre de motivation, n. f.	covering letter	Bewerbungsbrief	carta de motivación	lettera di accompagnamento	carta de motivação
lèvres, n. f.	lips	Lippen	labios	labbra	lábios
loin	far	weit	lejos	lontano	longe
loyer, n. m.	rent	Miete	alquiler	affitto	aluguer

M

machin, n. m.	thing	Ding	chisme	oggetto	máquina
mal de tête, n. m.	headache	Kopfschmerzen	dolor de cabeza	mal di testa	dor de cabeça
mal payé	badly paid	schlecht bezahlt	mal pagado	sottopagato	mal pago
malheureusement	unfortunately	leider	desafortunadamente	purtroppo	infelizmente
manquer	to miss	fehlen	faltar	mancare	faltar
marchandise, n. f.	goods	Ware	mercancía	merce	mercadoria
marié	married	verheiratet	casado	sposato	casado
médicament, n. m.	drug	Medikament	medicamento	medicinale	medicamento
métier, n. m.	profession	Beruf	oficio	mestiere	profissão
MMS, n. m.	mms	MMS	MMS	MMS	MMS
mondialisation, n. f.	globalisation	Globalisierung	globalización	mondializzazione	mundialização
moustache, n. f.	moustache	Schnurrbart	bigote	baffi	bigode
MSN, n. m.	msn	MSN	MSN	MSN	MSN
mutuelle, n. f.	mutual	Krankenzusatzversicherung	mutua	mutua	mutual

N

nécessaire à	necessary to	nötig zu	necesario para	necessario a	necessário a
nuageux	cloudy	bewölkt	nubloso	nuvoloso	nebuloso
numéro, n. m.	number	Nummer	número	numero	número

O

occasionnée	caused	hervorrufen	ocasionar	causato	provocada
offre, n. f.	offer	Angebot	oferta	offerta	oferta
offrir	to offer	schenken	ofrecer	offrire	oferecer

orage, *n. m.*	storm	Gewitter	tormenta	temporale	trovão
oreille, *n. f.*	ear	Ohr	oreja	orecchio	orelha

P

pardon	pardon	Wie bitte	perdón	scusi?	desculpas
parois, *n. f.*	walls	Scheiben	paredes	pareti	paredes
partenaire, *n. m.*	partner	Partner	socio	partner	parceiro
participer	to participate	teilnehmen	participar	partecipare	participar
patron, *n. m.*	boss	Chef	jefe	direttore	patrão
peindre	to paint	malen	pintar	dipingere	pintar
peloton, *n. f.*	leading pack	Peloton	pelotón	plotone	pelotão
permis de conduire, *n. f.*	driving licence	Führerschein	carné de conducir	patente	carta de condução
personne	nobody	niemand	nadie	nessuno	ninguém
pièce, *n. f.*	play	Stück	obra	opera	peça
pièce, *n. f.*	part	Zimmer	pieza	pezzo	peça
pilote, *n. m.*	pilot	Pilot	piloto	pilota	piloto
place, *n. f.*	seat	Platz	asiento	posto	lugar
plaque commémorative, *n. f.*	commemorative plate	Gedenktafel	placa conmemorativa	targa commemorativa	placa comemorativa
pluvieux	rainy	regnerisch	lluvioso	piovoso	chuvoso
poème, *n. m.*	poem	Gedicht	poema	poema	poema
point de vue, *n. m.*	point of view	Aussichtspunkt	punto de vista	punto di vista	ponto de vista
poli	polite	höflich	educado	educato	bem-educado
politique	political	politisch	política	politico	politica
polluant	polluting	verschmutzend	contaminante	inquinante	poluente
portable, *n. m.*	mobile	Handy	móvil	telefono cellulare	telemóvel
possibilité, *n. f.*	possibility	Möglichkeit	posibilidad	possibilità	possibilidade
poste, *n. m.*	position	Posten	puesto	posto	posto
précaire	uncertain	unsicher	precario	precario	precário
préfecture de Police, *n. f.*	police department	Polizeipräfektur	jefatura de policía	prefettura di polizia	esquadra de Polícia
préoccupé	preoccupied	sorgenvoll	preocupado	preoccupato	preocupado
près	near	fast	cerca	vicino	perto
prêter	to lend	leihen	prestar	prestare	emprestar
prison, *n. f,*	prison	Gefängnis	cárcel	prigione	prisão
prisonniers, *n. m.*	prisoners	Gefangene	prisioneros	prigionieri	prisioneiros
probabilité, *n. f.*	probability	Wahrscheinlichkeit	probabilidad	probabilità	probabilidade
probable	probable	wahrscheinlich	probable	probabile	provável
probablement	probably	wahrscheinlich	probablemente	probabilmente	provavelmente
problèmes, *n. m.*	problems	Probleme	problemas	problemi	problemas
projection, *n. f.*	projection	Vorführung	proyección	proiezione	projecção
promotion, *n. f.*	promotion	Werbung	oferta	promozione	promoção
proposer de l'aide	offer help	Hilfe anbieten	ofrecer ayuda	offrire aiuto	propor ajuda
provocation, *n. f.*	provocation	Provokation	provocación	provocazione	provocação

Q

qualifié	qualified	qualifiziert	cualificado	qualificato	qualificado

R

recevoir	to receive	erhalten	recibir	ricevere	receber
région, *n. f.*	region	Region	región	regione	região
rejoindre	to join	begleiten	alcanzar	raggiungere	juntar-se
remercier	to thank	danken	agradecer	ringraziare	agradecer
rendre service	to do a favour	einen Dienst erweisen	hacer un favor	restituire un favore	prestar serviço
respect, *n. f.*	respect	Respekt	respeto	rispetto	respeito
ressources humaines, *n. f.*	human resources	Personalabteilung	recursos humanos	risorse umane	recursos humanos
réunion, *n. f.*	meeting	Besprechung	reunión	riunione	reunião
rien	nothing	nichts	nada	niente	nada
rigueur, *n. f.*	rigour	Strenge	rigor	rigore	rigor
route, *n. f.*	road	Strasse	carretera	strada	estrada

S

s'appeler	to be called	sich anrufen	llamarse	chiamarsi	chamar-se
s'excuser	to apologise	sich entschuldigen	disculparse	scusarsi	desculpar-se
salaire, *n. m.*	salary	Gehalt	salario	salario	salário
salarié	wage earner	Angestellter	asalariado	salariato	assalariado
salutations, *n. m.*	greetings	Grüsse	saludos	saluti	saudações
sans doute	no doubt	zweifellos	seguramente	senza dubbio	sem dúvida
santé, *n. f.*	health	Gesundheit	salud	salute	saúde
se garer	to park	parken	aparcarse	parcheggiare	estacionar
se plaindre	to complain	sich beschweren	quejarse	lamentarsi	queixar-se
se rencontrer	to meet	sich treffen	reunirse	incontrarsi	encontrar-se
se renseigner	to find out	sich erkundigen	informarse	chiedere informazioni	informar-se
se soigner	to take care of oneself	sich pflegen	curarse	curarsi	tratar-se

sérieux	serious	ernsthaft	serio	serio	sério
show-biz, n. m.	show-biz	Showbiz	show business	showbiz	mundo do espectáculo
signer	to sign	unterschreiben	firmar	firmare	assinar
silencieux	silent	leise	silencioso	silenzioso	silencioso
SMS, n. m.	sms	SMS	SMS	SMS	SMS
société, n. f.	society	Firma	sociedad	società	sociedade
sociologue, n. m.	sociologist	Soziologe	sociólogo	sociologo	sociólogo
solidaire	showing solidarity	solidarisch	solidario	solidale	solidário
souffrir	to suffer	leiden	sufrir	soffrire	sofrer
sourire, n. m.	to smile	lächeln	sonreír	sorriso	sorrir
soutenir	to support	unterstützen	sostener	sostenere	apoiar
stage, n. m.	work experience	Praktikum	cursillo	stage	estágio
stagiaire, n. m.	trainee	Praktikant	cursillista	stagista	estagiário
subvention, n. f.	subsidy	Subvention	subvención	sovvenzione	subvenção
sûr	sure	sicher	seguro	sicuro	seguro
sûrement	surely	sicherlich	seguramente	sicuramente	seguramente
survoler	to fly over	überfliegen	sobrevolar	sorvolare	sobrevoar
suspect	suspicious	suspekt	sospechoso	sospetto	suspeito
système de santé, n. m.	health system	Gesundheitssystem	sistema de salud	sistema della sanità	sistema de saúde

T

taquet, n. m.	shelf peg	Pflock	tope	zeppa	estaca
tendance, n. f.	trend	Tendenz	tendencia	tendenza	tendência
terrible	terrible	schrecklich	terrible	terribile	terrível
touche, n. f.	touch	Taste	tecla	tocco	tecla
tragique	tragic	tragisch	trágico	tragico	trágico
traitement, n. m.	treatment	Behandlungen	tratamientos	trattamento	tratamentos
transmis	transmitted	übermittelt	transmitido	trasmesso	transmitido
travailleur, n. m.	worker	Arbeiter	trabajador	lavoratore	trabalhador
tristesse, n. f.	sadness	Traurigkeit	tristeza	tristezza	tristeza
trouver	to find	finden	encontrar	trovare	encontrar
truc, n. m.	thing	Ding	truco	trucco	truque
tunnel, n. m.	tunnel	Tunnel	túnel	galleria	túnel
type, n. m.	type	Typ	tipo	tipo	tipo

U

| ULM, n. m. | ulm | ULM | ultraligero | aereo ultraleggero | ULM |
| unir | to unite | vereinen | unir | unire | unir |

V

valoir	to be worth	gelten	valer	valere	valer
vent, n. m.	wind	Wind	viento	vento	vento
vente, n. f.	sale	Verkauf	venta	vendita	venda
visage, n. m.	face	Gesicht	rostro	viso	rosto
visite, n. f.	visit	Besuch	visita	visita	visita
voisin, n. m.	neighbour	Nachbar	vecino	vicino	vizinho
voyageur, n. m.	traveller	Reisender	viajero	viaggiatore	viajar

Y

| yeux, n. m. | eyes | Augen | ojos | occhi | olhos |

Z

| zut | blast | hoppla | ¡jolín! | accidenti! | bolas! |